Printed in the USA
CPSIA information can be obtained
at www.ICGtesting.com
LVHW072201141023
760820LV00034B/1421

9 781989 869062

البريد الإلكتروني:info@daralsedeeq\multfi@m-mult.com

المستوى الرابع
الجزء الأول

المملكة الأردنية الهاشمية

رقم الإيداع لدى دائرة المكتبة الوطنية

٢٠٠٩/٧/٣٢٩٦

صديقي في اللغة العربية
المستوى الرابع
الجزء الأول

تأليف

د. فخري طمليه   هنيدة الشامي
أسمـاء عبد العزيز

التدقيق اللغوي
د. تسنيم عماد شيخ

الإشراف العام
د. فخري طمليه

تصميم
منال يوسف

MANAL YOUSEF

الطبعة السابعة

مُقدِّمة

هذا هو الجزء الأول للمستوى الثالث من سلسلة (صديقي في اللغة العربية) وتهدف هذه السلسلة بمجموعها إلى تنمية المهارات اللغوية لدى الطلبة بمساعدة معلميهم وأولياء أمورهم قسم هذا الكتاب إلى قسمين رئيسيين :

القسم الأول: قسم يُعنى بالأنشطة اللغوية والتطبيقية والوظيفية ،وهو عبارة عن مجموعة من التدريبات المتنوعة غير النمطية، تحفز الطالب على التفكير والقيام بعمليات التركيب والتحليل والكشف والاستنتاج.

القسم الثاني: هو المراجعة العامة، وهي مراجعة عامة لكل المهارات المهمة التي تم التعرض لها في القسم الأول، سواء النحوية أو الإملائية.

ثالثا: نصوص للقراءة والفهم والاستيعاب، جاءت بصيغة جديدة بعيدة عن النّمطيّة، فاحتوى نصوصًا جديدة مُوازِيةً تردف ما يمكن أن يكون الطِّفل قد تعرّض له في كتب أخرى، جاءت هذه النصوص شائقة وظيفية، اشتقت من حياة الطفل، لصيقة بخبراته مثيرة لها.

وكلنا معا بصحبة الزملاء المعلمين، وأولياء الأمور نسعى إلى إتقان طلابنا مهارات القراءة والكتابة والفهم والاستيعاب والتعبير، لنكون معا مع الطالب في مجالات المعرفة المختلفة التي لا يمكن تحقيقها دون إتقان مهارات اللغة المختلفة.

نتمنى أن يكون هذا الجهد المتواضع ملبيا لبعض ما تهدفون إليه مع تقبل ما يصدر عن الجميع من ملاحظات التي تقصد الإثراء والتعمق في تنمية هذا الجزء من هذه السلسلة.

فهرس التطبيقات

الدرس الأول

في اللغة: ترتيب الجملة –المضاف اليه والصفة (نمط) الطالب المهذب محبوب ٨

الإملاء: الشدة–اللام الشمسيّة والقمريّة–كتابة التاء–كتابة (أ، إ) ١١

الدرس الثاني

في اللغة : ترتيب الجملة –جمع التكسر (نمط) (شجرة ، أشجار) ١٤

الإملاء: الأسماء الممدودة–كتابة (أ ، آ) –أدوات الاستفهام (؟ و .) ٢٠

الدرس الثالث :

في اللغة :التأنيث والتذكير (للافعال) –ترتيب الجملة–المثنى (الف الاثنين) –ضمائر الغائب (هو ، هي ، ٢٤
هم) –استخدام أداة الاستفهام (ماذا) –استخدام (كان ، كانت)

الإملاء: الأسماء الممدودة–همزة الوصل ٣١

مراجعة املائية أولى ٣٤

الدرس الرابع :

في اللغة : واو العطف–الأسماء الموصولة (الّذي ، الّتي) –المفرد ، المثنى ، الجمع –جمع التكسير (جرس، ٣٧
أجراس) نمط –جمع المؤنث السالم

الإملاء: الشدة–كتابة الالف المقصورة (ى) –كتابة التاء (ة ،ـة ، ت) ٤٣

الدرس الخامس :

في اللغة : ركب ، راكب (نمط) –ياء النسبة –إدخال (أصبح) على الكلمات–هبط ، هبوطا (نمط) –استخدام ٤٦
أسلوب التعجب (!)

الإملاء: التاء (ـة ، ة) ٥٠

الدرس السادس

في اللغة :استخدام حروف الجر مع الضمير المتصل– (منه ، عنه ، عليه ، إليه) – فعل الأمر– أداة الاستفهام ٥٤
(متى) – جمع المذكر السالم –استخدام (أن) نمط – استخدام (لن) نمط

الإملاء: الوصل في القراءة – الألف المقصورة (ى) –الهمزة على الألف في وسط الكلمة (أ)– واو ٦٢
الجماعة

مراجعة إملائية ثانية ٦٤

	الدرس السابع
٦٦	في اللغة :المذكر والمؤنث –جمع المذكر السالم – نمط(وصل، واصل)
٧١	في الإملاء:الهمزة على واو (ؤ): الألف الممدودة في نهاية الكلمة (سما ، دنا) نمط– أسلوب التعجب
٧٤	الدرس الثامن : في اللغة : جمع التكسير (شعر ، أشعار) نمط –جمع المؤنث السالم (رحلة رحلات) نمط– التذكير والتأنيث في الأفعال– الفعل المضارع (جاب ، يجوب) نمط
٨١	في الإملاء الهمزة المنفردة في وسط الكلام

التطبيقات اللغوية
والأنشطة الوظيفية
صديقي في اللغة العربية
كتاب التطبيقات
المستوى الثالث
الجزء الأول
سلسلة في تنمية المهارات اللغوية للمبتدئين

مُراجعةٌ لِمَهاراتِ الصَّفِّ الثّاني

١ أَكْتُبُ في الْفَراغِ الفِعْلَ المُناسِبَ، ثُمَّ أَرْسُمُ الْحَرَكَةَ الْمُناسِبَةَ على آخِرِه :

- ....النَّجارُ الخزانَةَ.
- .... الْفَلّاحُ الأَشْتالَ.
- .... الطّالِبُ الدَّرْسَ .

٢ أَسْأَلُ بِاسْتِخْدامِ (مَنْ) كَما في الْمِثالِ :

▪ مَنْ صَحَّحَ الأَوْراقَ ؟	▪ صَحَّحَتِ المُعَلِّمَةُ الأَوْراقَ .
▪ -------------------	▪ كَتَبَ الطّالِبُ الدَّرْسَ.

٣ أَكْتُبُ في الْفَراغِ مَنْ قامَ بِالفِعْلِ، ثُمَّ أَرْسُمُ الْحَرَكَةَ الْمُناسِبَةَ على آخِرِه:

- نَظَّفَتْ .... المَنْزِلَ.
- قَرَأَ .... الجَريدَةَ.
- مَسَحَ .... اللَّوْحَ .
- قَطَفَ .... الثِّمارَ.

٤ أُكْمِلُ الفَراغَ بِالكَلِمَةِ المُناسِبَةِ ، كَما في المِثالِ :

- دَخَلَ الطُّلابُ الصَّفَّ
- شاهَدَ أَخي ....
- قَطَفَ الفَلّاحُ..............................
- قَطَّعَ الحَطّابُ..............................

مُلاحظة: انْتَبِهِ إلى حَرَكَةِ الْكَلِماتِ التي كَتَبْتُها في الْفَراغ

٥ نادى بابا عَلى الْأَطْفالِ:

يا سامِرُ، يا هِنْدُ، يا فَهْدُ، يا سُمَيَّةُ، أَيُّها الْأَطْفالُ، حانَ مَوْعِدُ الْعَشاءِ.

نادَتْ ماما عَلى الْأَطْفالِ:

يا سامِرُ، يا هِنْدُ، يا فَهْدُ، يا سُمَيّةُ، أَيُّها الْأَطْفالُ، حانَ مَوْعِدُ النَّوْمِ.

حَتّى أُنادي أَحْتاجُ إِلى كَلِماتٍ مِثْل (يا، أَيُّها، أَيَّتُها)
وَتُسَمّى كُلُّ كَلِمَةٍ مِنْها أَداةَ نِداءٍ أَمّا الْكَلِمَةُ الّتي تَليها فَتُسَمّى الْمُنادى.

- تَعالَ........ فادي، وَأَنْتِ........ عَبيرُ، لِنَلْعَبَ مَعًا.
- لا تَنْسَ......... عُمَرُ أَنْ تَغْسِلَ أَسْنانَكَ قَبْلَ النَّوْمِ.
- تَذَكَّري.......... بَسْمَةُ أَنْ تَقومي بِحَلِّ واجِباتِكِ.

لَقَدْ اسْتَخْدَمْنا أَداةَ النِّداءِ (يا) في التَّمْرينِ السّابِقِ، فَماذا عَنْ (أَيُّها، أَيَّتُها)؟

٦ أَقْرَأُ وَأَضَعُ الأَداةَ الْمُناسِبَةَ:

.... فاتِنُ، ساعِدي أَخاكِ. .... الْوَلَدُ، لا تَلْعَبْ في الشّارِعِ.

.... الْفَتاةُ، ساعِدي أَخاكِ. .... الْجُنْدي، بارَكَ اللهُ فيكَ.

٧ أُكْمِلُ كَما في الْمِثالِ:

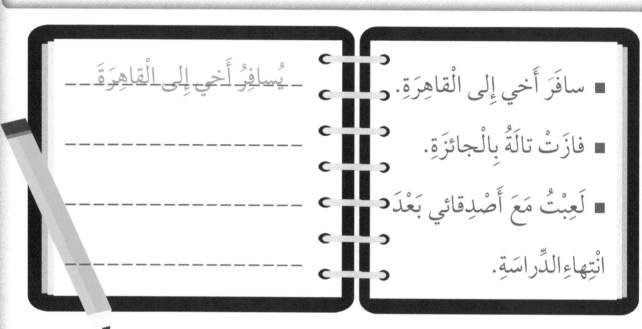

■ سافَرَ أَخي إِلى الْقاهِرَةِ.	يُسافِرُ أَخي إِلى الْقاهِرَةِ
■ فازَتْ تالَةُ بِالْجائِزَةِ.	----------------
■ لَعِبْتُ مَعَ أَصْدِقائي بَعْدَ انْتِهاءِ الدِّراسَةِ.	----------------
	----------------

في اللُّغَةِ

الدَّرْسُ الأَوَّلُ

الشَّدَّة

١ أُحَلِّلُ الْكَلِماتِ الْآتِيَةَ إِلى حُروفٍ:

عُمَرُ	----	----	----
عَدَدُ الْحُروفِ	----		

عَمَّرَ	----	----	----
عَدَدُ الْحُروفِ	----		

٢ أَنْتَبِهُ إِلى اللَّفْظِ عِنْدَ وُجودِ الشَّدَّةِ ثُمَّ أَقْرَأُ :

عَلَمُ — عَلَّمَ — حَسَنٌ — حَسَّنَ — قَبِلَ — قَبَّلَ

٣ أَمْلأُ الْـفَراغَ بِواحِدَةٍ مِنَ الْـكَلِماتِ السَّابِقَةِ:

أ .... الْبِلادِ يُرَفْرِفُ عالِيًا.

هـ .... الْأَبُ ابْنَهُ الصَّغيرَ.

ب .... عامِرٌ خَطَّهُ .

و جاءَ .... مُسْتَعْجِلًا .

جـ .... أَبي أَنْ يُرافِقَنا إِلى مَدينَةِ الْمَلاهي .

د .... الرَّسولُ عَلَيهِ الصَّلاةُ وَالسَّلامُ النَّاسَ وَحْدانِيَّةَ اللّٰهِ.

٤ أُعيدُ تَرتيبَ الْـكَلِماتِ لِأُكَوِّنَ جُمْلَـتَيْنِ مُفيدَتَيْنِ :

عَلى تُحافِظُ فاديا مَلابِسِها نَظافَةِ

أ ....

ب ....

٥ أَرادَ زَيْدٌ أَنْ يُخبِرَكَ شَيْئًا؛ فَكَتَبَ في دَفْتَرِهِ جُمَلًا، لِتُساعِدْ زَيْدًا في اخْتيارِ الْكَلِمَةِ المُناسِبَةِ لِإِتْمامِ ما كَتَبَ وَاقْرَأْ؛ لِتَعْرِفَ :

مُفيدٌ نَشيطٌ جَميلٌ مَحْبوبٌ

أ الطَّالِبُ الْمُهَذَّبُ ....

ب الْبُسْتانُ الْأَخْضَرُ ....

جـ الْغِذاءُ الْمُتَنَوِّعُ ....

د الصَّفُّ النَّظيفُ ....

في الإمْلاءِ

١ أَضعُ الشَّدَّةَ بَعْدَ أل التَّعريفِ حَيْثُ يَنْبَغي ذلِكَ :

النظَر الْعِنَب الكَبير الظروف الليمون الغِذاء الرئيس

٢ أَمْلأُ الْفراغَ بِكَلِمَةٍ فيها أَلِ التَّعريفِ وَ أَكْتُبُ الكَلِمَةَ الّتي تَحْتوي لامًا قَمَرِيَّةً بِاللَّوْنِ الْأَخْضَرِ وَالْكَلِمَةَ الّتي تَحْتَوي لامًا شَمْسِيَّةً بِاللَّوْنِ الأَحْمَرِ:

بَدَأَ الْعامُ الدِّراسِيُّ .... ، عَرَضَتِ المُعَلِّمَةُ على .... الاشْتِراكَ في لِجانِ .... الْمَدرَسِيَّة، وَكُتِبَتْ أَسْماءُ .... عَلى .... ، وَ بَدَأَ الطُّلّابُ بِـ ....

مِنَ الْفِقْرَةِ السّابقَةِ أَسْتَخرِجُ اللّامَ الْقَمرِيَّةَ وَاللّامَ الشَّمْسيَّةَ وَأَكْتُبُها في الْمَكانِ الْمُناسِبِ :

٣ أَضَعُ الشَّدَّةَ في مَكانِها في الْكَلِماتِ الّتي تَحْتَها خَطٌّ :

عادَ عمارٌ إِلى الْبَيْتِ مَسْرورًا، فَتَحَ النوافِذَ؛ لِيَدْخُلَ الْهواءَ .

تَعَرفَ عَمارٌ إِلى حَسانَ في الْمَسْبَحِ .

تَعَلمَ عَمارٌ أَنْ يَتَحَدثَ اللغَةَ الأَلْمانِيَة .

٤ أُكْمِلُ الْكَلِماتِ الآتِيَةَ بِما يُناسِبُها مِنَ الْحُروفِ بَيْنَ القَوسَيْنِ في الْفِقْرَةِ الآتِيَةِ:

(ــة) (ــه) (ت)

رَأَ.... حَمامـ.... نمْلـ.... تكادُ تَغْرَقُ في النَّهْرِ، أَشْفَقَـ.... الحَمامـ.. عَلى النَّمْلَـ.... وَ رَمـ.... لَها قَشَّـ...صَغير... ، صَعَدَ... النَّمْلَـ...فوقَ القَشَّـ... ثُمَّ شَكَرَ.... الحَمامَـة.

٥ أَكْتُبُ الهَمْزَةَ فَوْقَ الْأَلفِ أَوْ تَحْتَها في بِدايَةِ الْكَلِمَةِ حَيْثُ يَنْبَغي، وَأُثَبِّتُ حَرَكَتَها في الْفِقْرَةِ الْآتِيَةِ :

احِبُّ انْ ازورَ المَكْتَبَةَ في مَدْرَسَتي، لِاقْرَأَ القِصَصَ الجَديدةَ الّتي تَحْمِلُني الى عالَمٍ جَميلٍ، اوْ لاناقِشَ امينَةَ المَكْتَبَةِ فيما قَرَأْتُ مُسْبَقًا، وَ هُناك احافِظُ عَلى النَّظافَةِ وَابْتَعِدُ عَنْ اصْدارِ الاصْواتِ حَتّى يَقْرَأَ زُمَلائي بِهدوءٍ.

أَسْتَنْتِجُ أَنَّ :

الْأَلِفَ الّتي عَلَيْها هَمْزَةٌ فَوْقَها أَوْ تَحْتَها تُسَمّى هَمْزَةَ قَطْعٍ لِأَنَّها تَقولُ لَنا أَنا هُنا فَلا تَنْساني.

في التَّعْبيرِ

كُنْتُ في إِجازةٍ صَيْفِيَّةٍ مُمْتِعَةٍ ، لكِنَّني اشْتَقْتُ إِلى مَدْرَسَتي وَمُعَلِّماتي وَ أَصْدِقائي كَثيرًا وَ اشْتَقْتُ أَيْضًا إِلى حَقيبَتي وَ أَقْلامي وَ كُتُبي ، وَ في الْإِجازةِ الصَّيْفِيَّةِ كُنْتُ أُمارِسُ بعض النَّشاطاتِ، مُسْتَعينًا بالصُّورِ الآتِيَةِ، أَكْتُبُ جُملًا مُعَبِّرَةً عَمّا قُمْتُ بِهِ خِلالَها :

الدَّرْسُ الثّاني

في اللُّغَةِ

١ الْإِشارَةُ الضُّوئِيّةُ لَيْسَتْ خَرْساءَ

نَعَمْ، هِيَ تَتَحَدَّثُ إِلَيْنا، تُرى ماذا

تَقولُ لَنا بِأَلْوانِها الثَّلاثَةِ؟ أَكْتُبُ اللَّوْنَ

الْمُناسِبَ في الْفَراغِ :

الْإِشارَةُ............تَقولُ لَكَ : تَوَقَّفْ.

الْإِشارَةُ ....تَقولُ لَكَ: اسْتَعِـدْ.

الْإِشارَةُ............تَقولُ لَكَ: امْـشِ.

أَقْرَأُ :

خَرْساءُ الْـحَمْراءُ الصَّـفْراءُ الْـخَضْراءُ

بماذا تَتَشابَهُ هَذِهِ الْـكَلِماتُ ؟

كُـلُّها تَنْتَهي بِالأَلِـفِ وَالْـهَـمْـزَةِ .

٢ أَقْرَأُ وَأَمْلَأُ الْفَرَاغَ بِكَلِمَةٍ مُنَاسِبَةٍ وَأَسْتَعِيرُها مِنَ الْمُهَرِّجِ.

زَرْقاء ، الْجَرْداء ، السَّوداء ، ماء خضراء ، السَّماء ، الْهَواء

📖 كانَتِ السَّماءُ .... صافِيَةً

وَفَجْأَةً، عَصَفَ .... وَتَجَمَّعَتِ الْغُيومُ

.... وَنَزَلَ الْمَطَرُ مِنَ ....نَعَمْ،

نَزَلَ مِنَ السَّماءِ .... سَقى الزَّرْعَ وَرَوى

الْأَرْضَ......... فَأَصْبَحَتْ ....

٣ أَقْرَأُ الْجُمَلَ الْآتِيَةَ وَأَسْتَبْدِلُ الْكَلِمَةَ الَّتي تَحْتَها خَطٌّ بِعَكْسِها:

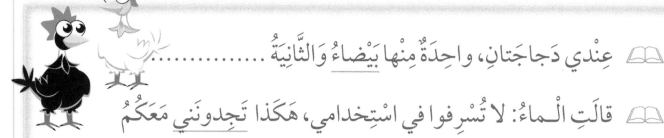

📖 عِنْدي دَجاجَتانِ، واحِدَةٌ مِنْها بَيْضاءُ والثَّانِيَةُ ....

📖 قالَتِ الْماءُ: لا تُسْرِفوا في اسْتِخْدامي، هَكَذا تَجِدونَني مَعَكُمْ

دائِمًا، وَإِنْ أَسْرَفْتُمْ في اسْتِخْدامي سَ.........

📖 نَحْنُ الْيَوْمَ أَطْفالٌ نَحْلُمُ، وَفي الْغَدِ .... نَحْمِلُ أَعْباءَ الْوَطَنِ.

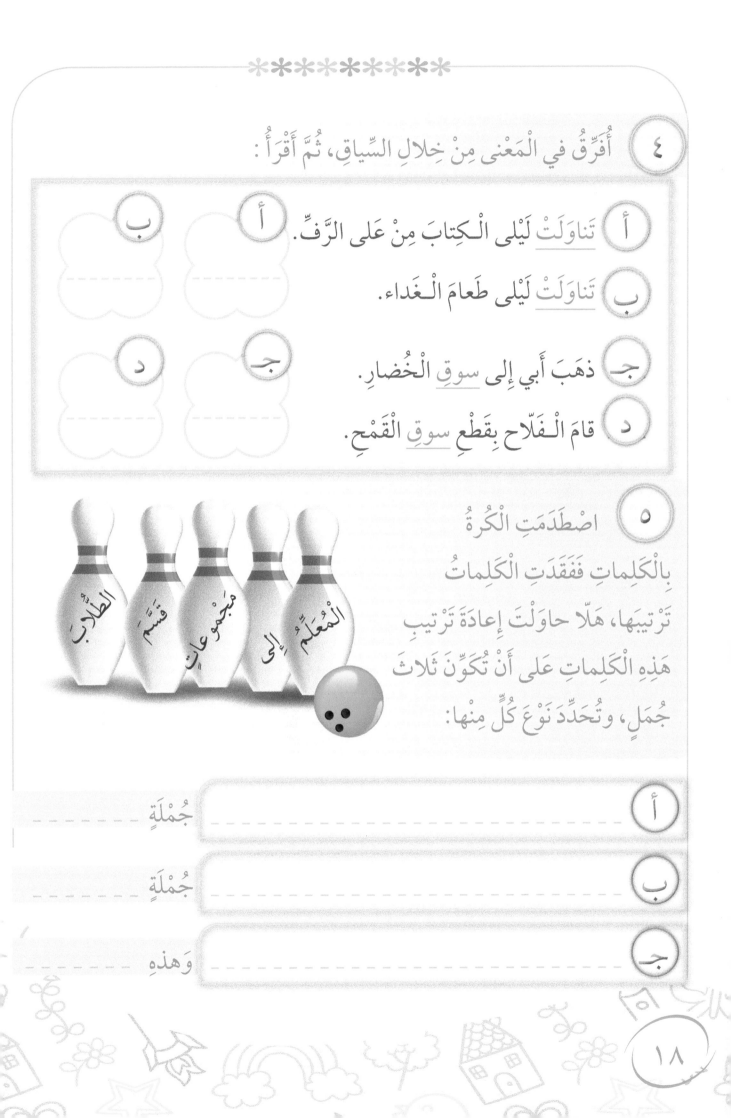

****

٤) أُفَرِّقُ في الْمَعْنى مِنْ خِلالِ السِّياقِ، ثُمَّ أَقْرَأُ:

ب)   أ)

أ) تَناوَلَتْ لَيْلى الْكِتابَ مِنْ عَلى الرَّفِّ.

ب) تَناوَلَتْ لَيْلى طَعامَ الْغَداءِ.

د)   ج)

ج) ذَهَبَ أبي إلى سوقِ الْخُضارِ.

د) قامَ الْفَلّاحُ بِقَطْعِ سوقِ الْقَمْحِ.

٥) اصْطَدَمَتِ الْكُرةُ بِالْكَلِماتِ فَفَقَدَتِ الْكَلِماتُ تَرْتيبَها، هَلّا حاوَلْتَ إِعادةَ تَرْتيبِ هَذِهِ الْكَلِماتِ عَلى أَنْ تُكَوِّنَ ثَلاثَ جُمَلٍ، وتُحَدِّدَ نَوْعَ كُلٍّ مِنها:

الطّالبُ   قَسَّمَ   مَجموعاتٍ   إلى   الْمُعَلِّمُ

أ) _____ جُمْلَةٍ

ب) _____ جُمْلَةٍ

ج) وَهَذِهِ _____

١٨

رَكَضَتْ غالِيَةُ إِلى حُضْنِ والِدَتِها تَبْكي، قالَتْ ماما: أَنْتِ تَبْكينَ يا غالِيَةُ ؟

قالَتْ غالِيَةُ: أَنا أُحِبُّهُ، وَلَكِنْ هوَ دائمًا يَأْخُذُ أَلْعابي. قالَ بابا: هُوَ... مَنْ

هُوَ؟قالَتْ غالِيَةُ: أَخي الصَّغيرُ سامي .

ابْتَسَمَتْ ماما وَقالَتْ: نَحْنُ عائِلَةٌ سَعيدَةٌ لِأَنَّ لَدَيْنا بابا رائِعٌ وَأَنا وَأَنْتِ وَهُوَ.

٦ بَعْدَ أَنْ قَرَأْتُ القِصَّةَ .. أَكْتُبُ اسْمَ الشَّخْص (الْأَشْخاص) لِلْكَلِماتِ الّتي تَحْتَها خَطّ:

ابْتَسَمَتْ ماما وَقالَتْ: نَحْنُ عائِلَةٌ سَعيدَةٌ لِأَنَّ لَدَيْنا بابا رائِعٌ وَأَنا وَأَنْتِ وَهُوَ.

نَحْنُ : ---------- أَنا : ----------

أَنْتِ : ---------- هُوَ : ----------

٧ أَمْلأُ الْفَراغَ مُسْتَخْدِمًا (أَنا ، نَحْنُ)

..... طالِبٌ

..... طالبَةٌ

..... أُحِبُّ الْمَدْرَسَةَ.

..... طُلاَّبٌ

..... نُحِبُّ الْمَدْرَسَةَ.

٨ أَقْرَأُ القِصَّةَ التّالية ثُمَّ أُجيبُ عَلى الْأَسْئِلَةِ الّتي تَليها:

انْتَهَتِ الْإِجازَةُ، وَبَدَأَ الْعامُ الدِّراسِيُّ الْجَديدُ، وَحانَ وَقتُ الْإِعْدادِ لِلْمَدْرَسَةِ، طَلَبَ فادي مِنْ أُمِّهِ الذَّهابَ إِلى الْمَكتبةِ لِشراءِ الْقِرْطاسِيَّةِ. سَأَلَتْهُ أُمُّهُ: كَمْ قَلَمًا تَحْتاجُ ؟

أَجابَ فادي: أَحْتاجُ ثَلاثَةَ أَقْلامٍ يا أُمّي.

الأُمُّ: وَكَمْ دفترًا؟

فادي يُفكّرُ ثُمَّ يُجيبُ: أَحتاجُ تِسْعَةَ دَفاتِرَ بَلْ عَشْرَةَ.

ضَحِكَتْ أُمُّهُ وَقالَتْ: أَظُنُّكَ تَحْتاجُ إِلى دَفاتِرَ أَكْثَرَ؟

قالَ فادي: وَما الْمُشْكِلَةُ أَشْتَري مِنَ المَكْتَبَةِ.

الأُمُّ: أَيُّ الْحَقائِبِ أَعْجَبَتْكَ؟

فادي: أَحْبَبْتُ الحَقيبَةَ الْخَضراءَ، أَظُنُّها تكفي كُتبي وَ دَفاتِري وَ أَقْلامي.

الأُمُّ: أَظُنُّها جَيِّدَة أَحْسَنْتَ الاخْتِيارَ .

٩ بَعْدَ أَنْ قَرَأْتُ النَّصَّ السَّابِقَ، أُجِيبُ عَنِ الْأَسْئِلَةِ الْآتِيَةِ:

أ أَسْتَخْرِجُ الِاسْمَ الدَّالَ عَلَى الْمُفْرَدِ، ثُمَّ أَكْتُبُهُ.

- - - - - - - - - - -

ب أَسْتَخْرِجُ الِاسْمَ الدَّالَ عَلَى اثْنَيْنِ وَأَكْثَرَ، ثُمَّ أَكْتُبُهُ.

- - - - - - - - - - -

ج ما مُفْرَدُ الْكَلِماتِ الْآتِيَةِ:

📖 أَقْلامٌ	. . . .	📖 دَفاتِرُ	. . . .
📖 حَقائِبُ	. . . .	📖 كُتُبٌ	. . . .

د هَلْ تَغَيَّرَتْ أَحْرُفُ هَذِهِ الْأَسْماءِ عِنْدَ صِياغَةِ الْجَمْعِ؟ أَمْ سَلِمَتْ أَحْرُفُها مِنَ التَّغْييرِ؟

- - - - - - - - - - -

١٠ أَمْلَأُ الْفَراغَ عَلَى نَمَطِ الْمِثالِ:

لُعْبَةٌ:	أَلْعابٌ	. . . .	أَجْيالٌ
نَبَأٌ	. . . .	. . . .	أَعْلامٌ
وَلَدٌ	. . . .	. . . .	أَحْلامٌ
زَهْرَةٌ	. . . .	. . . .	أَزْرارٌ

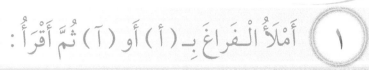

في الإمْلاءِ

١ أَمْلَأُ الْـفَراغَ بِـ (أ) أَو (آ) ثُمَّ أَقْرَأُ :

أ نَحْلُمُ وَنَسْعى لِتَحْقيقِ ... مالِنا .

ب عَدَدُ ..ياتِ سورَةِ الْـكَوْثَرِ، ثَلاثُ .. ياتٍ.

جـ .. خِرُ الْكُتُبِ السَّماوِيَّةِ هوَ الْـقُر..نُ الْكَريمُ .

د الْمُدَرَّجُ الرُّومانيُّ مِنْ ..ثارِ الرُّومانِ الّتي تَركوها في الأُرْدُنِّ .

هـ وَ..نا ..حْلُمُ ..نْ ..صْبِحَ مُعَلِّمًا .

و كُلَ يَوْمٍ ..قْرَأُ ..نا وَ..خي قِصَّةً مُمْتِعَةً .

عَلاماتُ التَّرْقيمِ

أَنْتَ الْيَوْمَ ضَيفٌ عندَ عَلاماتِ التّرْقيمِ، جاءَتْ عَلاماتُ التَّرْقيمِ واحِدَةً تِلْوَ الْأُخْرى وَعَرَّفَتْكَ عَلى نَفْسِها، لِتُساعِدَكَ أَثْناءَ الْكِتابَةِ عَلى وَضْعِها في مَكانِها الصَّحيحِ، لِتَكْتُبَ فِقْرَةً مُرَتَّبَةً تُساعدُ الْجَميعَ عَلى قِراءَتِها، هَيّا بِنا نَتَعَرَّفُ إِليها :

أَنا الْفاصِلَةُ، أُكْتَبُ بَيْنَ الجُمَلِ لِفَصْلِ الْكَلامِ، وَيَقِفُ الْقارِئُ عِنْدي وَقْفَةً خَفيفَةً أَثْناءَ الْقِراءَةِ.

مِثْلُ: (يَسْتَيقِظُ التِّلْميذُ، وَيَذْهَبُ إِلى الْمَدْرَسَةِ، ويَعودُ بَعْدَ الدِّراسَةِ.)

أَنا النُّقْطَةُ، أُكْتَبُ في نِهايَةِ الْجُمْلَةِ أَوْ الْفِقرَةِ لِأُعْلِنَ عَنْ انْتِهائِها، وَ عِلى الْقارِئِ أَنْ يَتَوَّقَفَ بَعْدَ أَنْ يَراني.

مِثْلُ : التَّعاونُ أساسُ النَّجاحِ .

أَنا النُّقْطَتانِ، أُكْتَبُ بَعدَ القَوْلِ: (قالَ ، أجابَ ، حَكى ، سَأَلَ)

مِثْلُ : (قالَ أَخي: أَنا أُحِبُّ الْقِراءَةَ.)

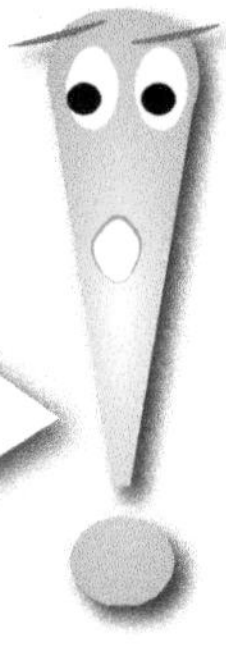

أَنا عَلامَةُ التَّعَجُّبِ، أُكْتَبُ في نِهايَةِ الْجُمْلَةِ الْمُثيرَةِ لِلدَّهْشَةِ في شَيْءٍ ما ، أَوْ بَعْدَ الْجُمْلَةِ التَّعَجُّبِيَّةِ .

مِثْلُ : ما أَبْدَعَ خَلْقَ اللهِ !

أَنا عَلامَةُ الْاسْتِفْهامِ، أُكْتَبُ في نِهايَةِ جُمْلَةِ السُّؤالِ .

مِثْلُ: كَمْ عُمْرُكَ ؟

٢ بَعْدَ زِيارَةِ عَلاماتِ التَّرقيمِ، أَكْتُبُ عَلاماتِ التَّرقيمِ في مَكانِها الْمُناسِبِ في الْفِقرةِ الآتيةِ، ثُمَّ أَقْرَؤُها:

في حِصَّةِ الْعُلومِ ☐ قالَ الْمُعَلِّمُ ☐ لِلْعَسَلِ فوائِدُ كَثيرةٌ ☐ مَنْ يَعْرِفُها ☐

تَفاعَلَ طُلّابُ الصَّفِّ ☐ وَ أَجابَ أَحَدُهُم ☐ يَحْتوي الْعَسَلُ الْفيتاميناتِ ☐

وَأَهَمُّهما فيتامين سي الّذي يُساعِدُ عَلى نُمُوِّ الْعِظامِ ☐ وَقالَ آخَرُ ☐ الْعَسَلُ

يَحْتوي الْفوسْفورَ الْمُهِمَ في نُمُوِّ الْجِسْمِ ☐ شَكَرَ الْمُعَلِّمُ طُلّابَهُ قائِلًا ☐

ما أَسْعَدَني بِكُمُ الْيَوْمَ ☐ أَنْتُمْ طُلّابٌ مُمَيَّزونَ ☐

في التَّعْبيرِ

أُرَتِّبُ أَحْداثَ الْقِصَّةِ الآتِيَةِ، ثُمَّ أَكْتُبُها مُراعِيًا عَلاماتِ التَّرْقيمِ .

- كِدْتُ أُقْتَلُ مِنْ لِساني
- رَأَتِ الحَمامَةُ الصَّيادَ وَ قالَتْ لَهُ:
- ذاتَ يَوْمٍ مَرَّ صَيّادٌ بِقُربِ الشَّجَرَةِ
- سَمِعَ الصَّيادُ صَوْتَها
- وَكانَ يَبْدو عَلَيْهِ عَلاماتُ التَّعَبِ
- لَمْ تُصِبِ النّارُ الْحَمامةَ
- لِمَ أَنْتَ مُتْعَبُ
- هَلْ تَحْتاجُ مُساعَدَةً
- فَأَطْلَقَ النّارَ عَلَيْها
- وَهَرَبَتْ مِنْهُ قائِلَةً
- ما أَذْكاني

الدَّرْسُ الثّالِثُ

في اللُّغَةِ

١ أَسْتَبْدِلُ الْكَلِمَةَ الّتي تَحْتَها خَطٌّ بِكَلِمَةٍ تُقارِبُها في الْمَعْنى :

مُتَوَحِّشَةٌ حَسِبَ خَبَّأَ

أ يَعيشُ في الْغابَةِ حَيَواناتٌ مُفْتَرِسَةٌ .---------

ب خافَ الطِّفْلُ مِنَ الْحَبْلِ فَقَدْ ظَنَّ أَنَّهُ أَفْعى .----------

ج أَخْفى السَّاحِرُ ساعَةَ أَحَدِ الْحُضورِ ثُمَّ أَظْهَرَها مَرَّةً أُخْرى. ---------

٢ أَسْتَبْدِلُ الْكَلِمَةَ الّتي تَحْتَها خَطٌّ بِعَكْسِها، مُسْتَعينًا بِالْكَلِمات الْآتِيَةِ ثُمَّ أَقْرَأُ :

بَكى الْفَرَج أَليف حَيٌّ سُكون

الدُّبُّ حَيَوانٌ مُفْتَرِسٌ أَمَّا الْخَروفُ فَحَيَوانٌ ....

كُلَّما اشْتَدَ الضِّيقُ اقْتَرَبَ ....

إِذا الْتَقَيتَ ثُعْبانًا في الْبَرْدِ الْقارِسِ، فَاحْذَرْ؛ لِأَنَّكَ سَتَحْسِبُهُ مَيِّتًا وَهُوَ .... لِأَنَّهُ مِنْ ذَواتِ الدَّمِّ الْبارِدِ؛ حَيْثُ إِنَّهُ يَسْتَلْقي دونَ أَيِّ حَرَكَةٍ، وَيَكونُ في وَضْعِ .... إِلى أَنْ تَشْتَدَّ الشَّمْسُ.

٣ أُفَرِّقُ في الْمَعْنى بَيْنَ الْكَلِماتِ الَّتي تَحْتَها خَطٌّ :

تَقُصُّ لَنا جَدَّتي حِكايَةً كُلَّ أُسْبوعٍ. ....

تَقُصُّ أُمّي الْقُماشَ بِالْمِقَصِّ. ....

٤ أَقْرَأُ، ثُمَّ أَضَعُ خَطًّا تَحْتَ الاسمِ الَّذي يَدُلُّ على واحِدٍ وَخَطَّيْنِ تَحْتَ الْاسْمِ الَّذي يَدُلُّ عَلَى اثْنَيْنِ أَوْ اثْنَتَيْنِ :

عِنْدي قَلَمٌ

عِنْدي قَلَمانِ

عِنْدي سَيّارَةٌ

عِنْدي سَيّارَتانِ

في حَديقَةِ مَنْزِلي وَرْدَةٌ .

في حَديقَةِ مَنْزِلي وَرْدَتانِ .

على مَكْتَبي قِصَةٌ .

على مَكْتَبي قِصَتانِ .

٥ بَعْدَ فَهْمي لِما سَبَقَ أُجيبُ عَنِ الْأَسْئِلَةِ الْآتِيَةِ :

١ أَكْتُبُ الْكَلِماتِ الَّتي تَدُلُّ على واحِدٍ .

----

٢ أَكْتُبُ الْكَلِماتِ الَّتي تَدُلُّ عَلى اثْنَيْنِ أَوْ اثْنَتَيْنِ .

----

٦ أُحَوِّلُ كَما في الْمِثالِ:

الضَّمَّةُ ← ان (أَلِفُ وَ نونُ مَكْسورَةٌ)

أ حَطَّ الْبُلْبُلُ عَلى الشَّجَرَةِ

حَطَّ الْبُلْبُلانِ عَلى الشَّجَرَةِ

ب ذَهَبَ الْوَلَدُ إلى الْمَكْتَبَةِ .

جـ رَوى الْمُزارِعُ الْأَشْجارِ.

٧ أُكَوِّنُ جُمَلًا كَما في الْمِثالَ (أَنْتَبِهُ أَنَّ كُلَّ صورَةٍ فيها اثْنَيْنِ "مُثَنّى")

يَقِفُ الْعُصْفورانِ عَلى الْغُصْنِ

يَجْلِسُ

تَسْبَحُ

يَسيرُ

هَذِهِ صُورَةٌ لِعائِلَةِ السَّيِّدِ كَريمٍ .

السَّيِّدُ كَريمٌ
السَّيِّدَة غادَةُ
السَّيِّدُ جَميلٌ
السَّيِّدَةُ أمينةُ
رُبا
رَنا
رامي

(٨) أَمْلَأُ الْفَراغَ بِإِحْدى الْكَلِماتِ الآتِيَةِ :(أَنا / هُوَ / هِيَ / هُما / هُمْ)

قالَ السَّيِّدُ كَريمٌ: ..... كَريمٌ، أُريدُ أَنْ أُعَرِّفَكُمُ عَلى أَفْرادِ

أُسْرَتي: السَّيِّدُ جَميلٌ وَالسَّيِّدَةُ أمينةُ ..... والِدايَ. هَؤُلاءِ ....

أَفْرادُ عائِلَتي. غادَةُ ....

زَوْجَتي، رُبَا .... ابْنَتي الْكُبْرى، أَمَّا رَنا فَـ.... ابْنَتي الصُّغْرى،

رامي .....ابْني.

٩ أَكَوِّنُ أَسْئِلَةً لِلْجُمَلِ الْآتِيَةِ مُسْتَخْدِمًا أَداةَ الاسْتِفْهامِ (ماذا) وَمُنْتَبِهًا إِلى عَلامَةِ الاسْتِفْهامِ آخرِ الجُمْلَةِ، ثُمَّ أَقْرَأُ :

أ	حَلَّ عامِرٌ الْواجِبَ .	-------------------
ب	شَرِبَ الطِّفْلُ الْحَليبَ.	-------------------

أُلاحِظُ أَنَّ حَرَكَةَ الْكَلِمَةِ الّتي تَحْتَها خَطٌّ هِيَ ....

١٠ لَقَدْ تَرَكَ عامِرٌ فَراغًا، مُسْتَعينًا بِالْكَلِماتِ الّتي تَحْمِلُها السَّناجِبُ، أَمْلَأُ الْفَراغَ في كُلِّ جُمْلَةٍ.

مُشْرِقَةٌ ‏ سَعيدَةٌ ‏ صافِيَةٌ

مُعْتَدِلُ ‏ نَشيطٌ

خَرَجَ عامِرٌ إِلى الْحَديقَةِ وَكَتَبَ في دَفْتَرِهِ: الْيَوْمَ الشَّمْسُ ....، وَالسَّماءُ ....وَالطَّقْسُ ....، وَالطُّيورُ..........، وَالنَّحْلُ ....

أُلاحِظُ

حَرَكَةَ آخِرِ الاسْمِ الأَوَّلِ:.......... حَرَكَةَ آخِرِ الاسْمِ الثَّاني :..........

١١ أَكْتُبُ جُمْلَةً تَتَكَوَّنُ مِنْ (اسْمٍ + اسْمٍ) وَأَحْرِصُ عَلى وَضْعِ الْحَرَكَةِ عَلى الْحَرْفِ الأَخيرِ مِنْ كُلِّ كَلِمَةٍ مِنَ الْكَلِمَتَيْنِ:

الْبِنْتُ ....

الطَّعامُ ....

١٢ بَعْدَ أَنْ عَبَّرْتُ عَنِ الصُّوَرِ بِجُمْلَةٍ اسْمِيَّةٍ تَتَكَوَّنُ مِنْ اسْم + اسْم، أُكْمِلُ الْحَلَّ عَلى نَمَطِ الْمِثالِ :

البابُ مفتوحٌ . كانَ البابُ مفتوحًا.

الشَّمْسُ مُشْرِقَةٌ. كانَتْ

الْوَلَدُ نَشيطٌ .

في الإِمْلاءِ

١ أَمْلأُ الْفراغَ (أ ، ا) :-

أ ..خْتبَ..الْقِطُ خلْفَ الشَّجرَةِ .

ب ..سْتيْقَظْتُ مِنَ النَّوْمِ مُبكِرًا.

ج ..تَخَذْتُ قَراري بِمُساعَدَةِ ..مّي في ..عْمالِ الْمَنْزِلِ.

أَسْتَنْتِجُ أَنَّ:

الْأَلِفَ الّتي لا يوجَدُ علَيْها هَمْزَةٌ تُسَمّى هَمْزَةَ وَصْلٍ

وَأَتذَكَّرُ أَنَّ الْأَلِفَ الّتي عَلَيْها هَمْزَةٌ فَوْقَها أَوْ تَحْتَها تُسَمّى ....

تنوين الفتح :

٢ أَقْرَأُ الْجُمَلَ الْآتِيَةَ مُنْتَبِهًا إِلى الْكَلِماتِ الْمُلَوَّنَةِ:

أَطْفَأَ رَجُلُ الإِسْعافِ النّارَ.	أَطْفَأَ رَجُلُ الإِسْعافِ نارًا.
اشْتَرى الطّالِبُ الْقِصَّةَ.	اشْتَرى الطّالِبُ قِصَّةً.
رَكِبَ الشّابُ الْجَمَلَ.	رَكِبَ الشّابُ جَمَلًا.
رَسَمَ الْفَنّانُ السَّماءَ.	رَسَمَ الْفَنّانُ سَماءً.

يُكْتَبُ تَنْوينُ الْفَتْحِ على الْحَرْفِ الأَخيرِ مِنَ الْكَلِمَةِ ، وَإِضافَة الْأَلِف، لَكِن بَعْضَ الْحُروفِ تَحْمِلُ تنوينَ الْفَتْحِ مُباشَرَةً (ة / ـة / اء) حَيْثُ لا تَحْتاجُ هَذِهِ الْحُروفُ لِحَرْفِ الأَلِفِ لِيُساعِدَها . مِثْلَ :

وَرْدَة ← وَرْدَةً

طالِبَة ← طالِبَةً

مَساء ← مَساءً

٣ أُكْمِلُ الْجَدْوَلَ بِما هُوَ مَطْلوبٌ :

تنوينُ الْفَتْحِ	الْكَلِمَةُ	تنوينُ الْفَتْحِ	الْكَلِمَةُ
----------	جُزْءَ	----------	دَفْتَرَ
----------	حَقيبَةَ	----------	سُجودَ
----------	كُرَةَ	----------	سَماءَ

٤ أَمْلأُ الْفَراغَ باسْمٍ مَمْدودٍ يَنْتَهي بـ (اء):

اء

- الْجَمَلُ سَفينَةُ ....
- تَوَقَّفْ ؛ الْإشارَةُ ....
- تَموتُ السَّمَكَةُ إِذا أَخْرَجْناها مِنَ ....
- جَمْعُ كَلِمَةِ صَديقٍ : ....
- تَنْطَفِئُ النّارُ إِذا مَنَعْنا عَنْها ....

ماذا أَفْعَلُ عِنْدما أَعودُ مِنَ الْمَدْرَسَةِ إِلى الْمَنْزِلِ؟

أُكْمِلُ أَحْداثَ هَذِهِ الْقِصَّةِ مُعَبِّرًا عَمّا أَقومُ بِهِ بَعْدَ عَوْدَتي مِنَ الْمَدْرَسَةِ.

أَقومُ في كُلِّ صَباحٍ نَشيطًا، كَما عَوَّدَني والِدايْ، أُنَظِّفُ أَسْناني، وَأَتَناوَلُ إِفْطارَ الصَّباحِ مَعْ إِخْوَتي، لِيساعِدَنا عِلى إِنْجازِ فُروضِنا الدِّراسيَّةِ بِسهولةٍ وَيُسْرٍ، ثُمَّ أَذْهَبُ إِلى مَدْرَستي الْحَبيبَةِ، حَيْثُ أُقابِلُ زُمَلائي. أَحْضُرُ إِلى مَدْرَسَتي مَسْرورًا، وَواضِعًا أَمامي أَماني الْمُسْتَقْبَلِ، وَمُنْصِتًا لِكُلِّ حَرْفٍ تَنْطِقُه مُعَلِّماتي حَتّى أَتَعَلَّمَ مِنْهُنَّ.

وَعِنْدَما أَعودُ لِلْمَنْزِلِ ----------------------------------

----

الْمُراجَعَةُ الإِمْلائِيَّة الْأولى

١ أَخْتارُ الكَلِمَةَ الْمُناسِبَةَ مِمّا تَحْتَهُ خَطٌّ وَأَمْلَأُ الْفراغَ، ثُمَّ أَقْرَأُ :

أ	.... مُهَنْدِسٌ بارِعٌ .... بِنايَةً جَميلَةً جِدًّا.	(عَمَّرَ - عُمَرُ)
ب	هَلْ............ السَّيِّدَ حازِمًا؟ إِنْ لَمْ تَكُنْ تَعْرِفُهُ، اذْهَبْ وَ............ إِلَيْهِ .	(تَعْرِفُ-تَعَرَّفْ)

٢ أُحَلِّلُ الْكَلِماتِ الْآتِيَةَ إِلى مَقاطِعَ كَما في الْـمِثالِ:

عَلَّمَ	تَـعَـرَّفَ	عَـدَّ
عَلْـ | لَـ | مَ	--- | --- | --- | ---	--- | ---

٣ أَضَعُ الشَّدَّةَ بَعْدَ أل التَّعريفِ حَيْثُ يَنْبَغي ذلِكَ :

النظَر العِنَب الكَبير الظروف الليمون الغِذاء الرئيس

٤ أَكْتُبُ الشَّكْلَ الصَّحيحَ لِلتّاءِ في أَواخِرِ الْكَلِماتِ الْمُلَوَّنَةِ:

جَلَسـ.. بجانب النّافذ.. الْمُطلَـ.. عَلى حَديقَـ.. مَنْزلي أُراقبُ هُطولَ الْأَمْطار بِغَزارَ.. وَمُسْتَمْتعَـ.. بهذا الْمَنْظَر الْخَلاب أُراقبُ قَطرا.. الْمَطَر وَهِيَ تُداعبُ كُلَ زَهْرَ... مِنْ زُهورِ حَديقَتِنا ، وَأَشْكُرَ اللـ.. وَأَحْمُدُ... على نعمـ.. الْكَثير.. عَلَيْنا.

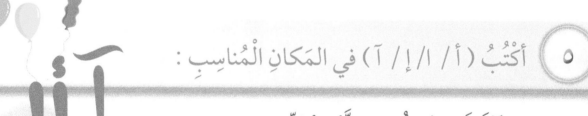

٥ أَكْتُبُ (أ/ ا/ إ/ آ) في المَكانِ الْمُناسِبِ :

- .. سْتَيْقَظَ ..حْمَدُ مِنَ النَّوْمِ مُبَكّرًا.
- ..خَذَ أَبي حَقيبَتَهُ وَذَهَبَ ..لى الْعَمَلِ .
- عادَ .. مينٌ مِنَ الْعَمَلِ مُتْعَبًا ، وَ...سْتَلْقى عَلى السَّريرِ .
- .. مالُ فَتاةٌ مُجْتَهِدَةٌ.
- نَرى ..يا.ت قُدْرَة الله في الْكَوْن الْو..سِعِ.

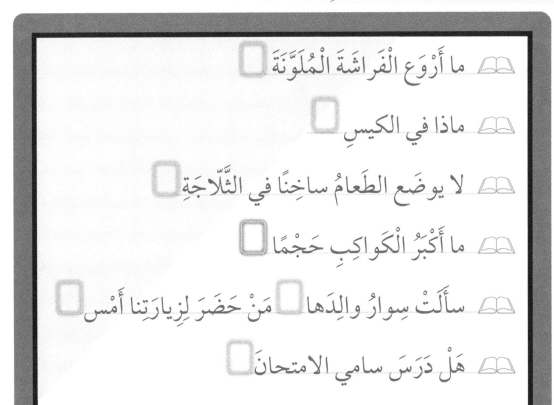

٦ أَكْتُبُ عَلامَةَ التَّرقيمِ الْمُناسِبَةِ ثُمَّ أَقْرَأُ:

- ما أَرْوَع الْفَراشَةَ الْمُلَوَّنَةَ ☐
- ماذا في الكيسِ ☐
- لا يوضَع الطَعامُ ساخِنًا في الثَّلَّاجَةِ ☐
- ما أَكْبَرُ الْكَواكِبِ حَجْمًا ☐
- سأَلَتْ سِوارُ والِدَها ☐ مَنْ حَضَرَ لِزِيارَتِنا أَمْس ☐
- هَلْ دَرَسَ سامي الامتحانَ ☐

تنوين الفتح

٧ أَكْتُبُ تَنوينَ الْفَتْحِ بِشَكْلِهِ الصَّحيحِ عَلى الْكَلِماتِ الَّتي تَحْتَها خَطٌّ :

ذَهَبْنا إِلى السّوقِ مَعَ أَبي، اشْتَرى أَبي كُرَة لِأَخي الصَّغيرِ، وَحَبـل.. لِأُخْتي مَها لِأَنَّها تُحِبُّ الْقَفزَ بِالْحَبْلِ، وَاشْتَرى لي كِتاب ؛ حَتى أَقْرَأ، وَدَفْتَر.. أُدَوِّنُ فيهِ أَفْكاري، وَاشْتَرى لِأُمّي ساعَة جَميلَةً، وَعُدْنا إِلى الْبَيْتِ مَساء مَسْرورينَ.

في اللُّغَةِ

الدَّرْسُ الرّابِعُ

الشَّدَّة

١ أَنْتَبِهُ إِلى اللَّفْظِ عِنْدَ وُجودِ الشَّدَّةِ ثُمَّ أَقْرَأُ:

صَدَقَ صَدَّقَ كَذَبَ كَذَّبَ سَلِمَ سَلَّمَ

٢ بَعْدَ قِراءَةِ الْكَلِماتِ أَضَعُ كُلَّ كَلِمَةٍ في مَكانِها الْمُناسِبِ :

أ .... الرَّسولُ عَلَيْهِ الصَّلاةُ وَالسَّلامُ في كُلِّ ما قالَ حَتى عُرِفَ بِالصّادِقِ . (صَدَقَ :صَدَّقَ)

ب .... اللِّصُّ عِنْدَما سَأَلَهُ الشُّرْطِيّ عَنِ الْمَسْروقاتِ. (كَذَبَ : كَذَّبَ)

جـ ...... أَبي عَلى جارِنا . (سَلِمَ : سَلَّمَ)

٣ أَقْرَأُ وَأَحْذِفُ الْكَلِمَةَ الْمُخالِفَةَ في الْمَعْنى :

أ رَغْبَةً مُخْتَلِفٌ مُتَنَوّعٌ مُتَشابِهٌ

ب تَرَدّى عاشَ ماتَ هَلَكَ

جـ حَذَّرَ أَنْذَرَ بَشَّرَ هَدَّدَ

٤ أَقْرَأُ وَأَضَعُ دائِرَةً حَوْلَ عَكْسِ الْكَلِمَةِ :

أ) عَوْنٌ — سَنَدٌ — إِهْمالٌ — دَعْمٌ

ب) فتى — عَجوزٌ — شابٌ — غُلامٌ

٥ كَتَبَتِ الْمُعَلِّمَةُ في حِصَّةِ اللُّغَةِ الْعَرَبِيَّةِ جُمَلًا على اللَّوْحِ:

أ) أُشَجِّعُ الطّالِبَ .... فازَ بِالْجائِزَةِ.

ب) قَرَأْتُ الْقِصَّةَ ....أَعْجَبَتْني .

جـ) حَضَرَ الطُّلابُ.......... فازوا في الْمُباراةِ .

📖 ثُمَّ قالَتْ لِطُلّابِها: اقرَؤُوا الْجُمَلَ الْآتِيَةَ، هَلْ هِيَ جُمَلٌ تامَّةُ الْمَعْنى أَمْ يَنْقُصُها أَسْماء لِجَعْلِها تامَّةَ الْمَعْنى؟

📖 أَجابَ أَحَدُ الطُّلّابِ: لا يا مُعَلِّمَتي، إِنَّها تَحْتاجُ إِلى كَلِماتٍ لِيَتِمَّ الْمَعْنى.

📖 الْمُعَلِّمَةُ: أُريدُ مِنْكُمُ الْمُساعَدَةَ في إيجادِ الْاسْمِ الْمُناسِبِ الَّذي يَصِلُ بَيْنَ طَرَفَي الْجُمْلَةِ لِيَتِمَّ مَعْناها.

📖 فَكَّرَ الطُّلّابُ وَ بَدَأُوا بِوَضْعِ الْكَلِماتِ الْمُناسِبَةِ، وَأَنْتَ أَيْضًا هَيّا فَكِّرْ ما الْاسْمُ الْمُناسِبُ لِوَصْلِ طَرَفَي الْجُمْلَةِ، لِتَكْوينِ جُمْلَةٍ تامَّةِ الْمَعْنى؟

📖 بَعْدَ التَّفْكيرِ تَوَصَّلَ الطُّلّابُ إِلى الْإِجاباتِ وَ هِيَ:

أ
📖 أُشَجِّعُ الطّالِبَ .الَّذي. فازَ بِالْجائِزَةِ.
ب
📖 قَرَأْتُ الْقِصَّةَ .الَّتي..أَعْجَبَتْني.
جـ
📖 حَضَرَ الطُّلّابُ.الَّذينَ.. فازوا في الْمُباراةِ.

٦ وَ الْآنَ حانَ دَوْرُكَ في التَّفْكيرِ وَوَضْعِ الاسْمِ الْمُناسِبِ في الْفَراغِ الَّذي يُتَمُّ مَعْنى الْجُمْلَةِ الْآتِيَةِ:

أ وَصَلَتِ الطّالِبَةُ ....فازَتْ بِالْجائِزَةِ .

ب هذا الْبائِعُ هُوَ .... يَبيعُ بِأَمانَةٍ .

جـ أُحِبُّ الْمُزارِعينَ .... يُحافِظونَ عَلى أَراضيهِم.

٧ أَمْلَأُ الْفَراغَ بِالْكَلِمَةِ الْمُناسِبَةِ ثُمَّ أُحَدِّدُ نَوْعَها هَلْ هِيَ مُفْرَدٌ أَمْ مُثَنّى أَمْ جَمْعٌ:

أ عِنْدَ السَّيِّدَةِ مَنالٍ: وَلَدٌ اسْمُهُ عامِرٌ (١)، وَلَدٌ اسْمُهُ سامِرٌ (٢).

لَدى السَّيِّدَةِ مَنالٍ .... (مُفْرَد / مُثَنى / جَمْعٌ)

ب لَدى السَّيِّدِ جَمالٍ: وَلَدٌ اسْمُهُ فَريدٌ (١) وَآخَرُ اسْمُهُ وَحيدٌ (٢) وَثالِث اسْمُهُ يَزيدُ (٣)

لَدى السَّيِّدِ جَمالٌ .... (مُفْرَد / مُثَنى / جَمْعٌ)

جـ لَدى السَّيِّدِ بِلالٍ: طِفْلٌ اسْمُهُ طَلالٌ (١)

لَدى السَّيِّدِ بِلالٍ: .... (مُفْرَد / مُثَنى / جَمْعٌ)

٨ أَقْرَأُ وَأَسْتَخْرِجُ ما هُوَ مَطْلوبٌ في الْجَدْوَلِ :

في مَزْرَعَةِ باسِمٍ : ثَلاثُ أَبْقارٍ، خَروفانِ وَدَجاجَةٌ واحِدَةٌ .

الْمُفْرَدُ	الْمُثَنّى	الْجَمْعُ

في حَقيبَةِ باسِلٍ : دَفْتَرانِ ، كِتابٌ واحِدٌ وَثَلاثَةُ أَقْلامٍ .

الْمُفْرَدُ	الْمُثَنّى	الْجَمْعُ

مُعَلّمينَ

مُعَلّماتٌ

أَقْلامٌ

مُعَلّمونَ

٩ أُحَوِّلُ الْكَلِماتِ الْمُشارِ إِلَيْها بِخَطٍّ مِنْ جَمْعِ الْمُذَكَّرِ السّالِمِ إِلى جَمْعِ الْمُؤَنَّثِ السّالِمِ وَأُجْري التَّغْييرَ الْمُناسِبَ كَما في الْمِثالِ:

أ رَأَيْتُ اللّاعِبينَ يَتَدَرَّبونَ في الْمَلْعَبِ .

رَأَيْتُ اللّاعِباتِ يَتَدَرَّبْنَ في الْمَلْعَبِ .

ب دافَعَ الْمُحامونَ عَنِ الْأَبْرياءِ .

جـ سَلَّمَ الْمُديرُ الْمَشْروعَ لِلْمُهَنْدِسينَ.

----

١٠ أَجْمَعُ الْأَسْماءَ الْآتيةَ :

الْاسْمُ	الْجَمْعُ
نَهْرٌ	----------
الْمُمَرِّضَةُ	----------
السّائِقُ	----------
وَتَرٌ	----------
الْمُسافِرُ	----------

في الإِمْلاءِ

أُلاحِظُ :

يَصْحو الْفَلّاحُ مُبَكِّرًا كُلَّ يَوْمٍ، وَيَسْقي الْأَشْجارَ.

في الأَمْسِ صَحا مُبَكِّرًا، وَسَقى الأَشْجارَ.

يَدْنو فَصْلُ الشِّتاءِ، يَنْزِلُ الْمَطَرُ، وَيَرْوي الأَرْضَ.

دَنا فَصْلُ الشِّتاءِ، وَنَزَلَ الْمَطَرُ، وَرَوى الأَرْضَ.

الْكَلِماتُ : صَحا سَقى دَنا رَوى كُلُّها أَفْعالٌ ماضِيَةٌ.

الْكَلِماتُ : يَصْحو يَسْقي يَدْنو يَرْوي كُلُّها أَفْعالٌ مُضارِعَةٌ.

١ أُضيفُ (ا)، (ى) إِلى آخِرِ الْكَلِماتِ الْآتِيَةِ :

أ
دَعـ...

ب
بَر...

جـ
نَمـ...

د
مَحـ...

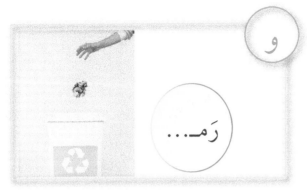

هـ

رَو...

و

رَمـ...

٢ أَكْتُبُ التّاءَ بِشَكْلِها الْمُناسِب : (ـة ، ة ، ت)

التّاءُ الْمَرْبوطَةُ
ة ـة
لا أَسْمَعُ صَوْتَها
إِلّا إِذا حَرَّكْتُها

تاءُ التَّأْنيثِ السّاكِنَةِ
تْ
التّاءُ الْمُتَحَرِّكَةُ
تَ

التّاءُ الأَصْلِيَّةُ
ت...
أَسْمَعُ صَوْتَها
وَهِيَ ساكِنَة

تُحِبُّ الْبِنـ... الصَّغيرَةُ أَكْلَ التّو... .

اسْتَيْقَظَـ... مَها مِنَ النَّوْمِ، وَغَسَلَـ... وَجْهَها، وَنَظَّفَـ... أَسْنانَها، وَارْتَدَ... مَلابِسَها، وَتَناوَلَـ... فَطورَها وَذَهَبَـ... إِلى الْمَدرَسَةِ .

في الأَمْسِ، عُدْ.. إِلى الْبَيْتِ وَغَسَلْـ.. يَدَيَ، وَتَناوَلْـ.. طَعامَ الْغَداءِ، دَرَسْـ...، وَلَعِبْـ...، وَشاهَدْ... التِّلْفازَ، وَحَضَّرْ... كُتُبي وَذَهَبْـ... إِلى النَّوْمِ باكِرًا.

في التَّعْبيرِ

لِكُلِّ إِنْسانٍ هِوايَةٌ مُحَبَّبَةٌ إِلى نَفْسِهِ، يَرْغَبُ الْقِيامَ بِها في وَقْتِ فَراغِهِ

فَما هِوايَتُكَ المُفَضَّلَةُ ؟

وَكَيْفَ اخْتَرْتَها ؟

وَمَنْ شَجَّعَكَ عَلى مُمارَسَتِها ؟

أَكْتُبْ فِقْرَةً مِنْ خَمْسَةِ سُطورٍ عَنْ هِوايَتِكَ الْمُفَضَّلَةِ، وَ كَيْفَ اخْتَرْتَها وَمَتى تُمارِسُها وَمَنْ شَجَّعَكَ عَلى مُمارَسَتِها ؟

لا تَنْسَ السَّلامَةَ الْإِمْلائِيَّةَ وَعَلاماتِ التَّرْقيمِ

الدَّرْسُ الخامِسُ

في اللُّغَةِ

طَلَبَ مُحَمَّدٌ الْعِلْمَ.	مُحَمَّدٌ طالِبٌ لِلْعِلْمِ.
لَعِبَ خليلٌ بِالكرَةِ.	خليلٌ لاعِبٌ بِالْكُرَةِ.
قَرَأَ عَلِيٌّ الْقِصَّةَ.	عَلِيٌّ قارِئٌ لِلْقِصَّةِ.
سَمِعَ الْابْنُ كَلامَ أَبيهِ.	الْابْنُ سامِعٌ لِكَلامِ أَبيهِ.

١ وَالآنَ جاءَ دَوْري -أُحَوِّلُ بَعْدَ إِضافَةِ الْأَلِف إِلى الْفِعْلِ:

الْـفِعْلُ الْماضي	الفعل بعد إضافة الألف	الْـفِعْلُ الْماضي	الفعل بعد إضافة الألف
كَتَبَ		دَرَسَ	
رَسَمَ		عَلِمَ	
دَخَلَ		جَلَسَ	

لا تَنْسَ

إِضافَةَ الْحَرْفِ أَلِفٍ بَعْدَ الْحَرْفِ الْأَوَّلِ، وَوَضْعَ الْكَسْرَةِ على الْحَرْفِ قَبْلَ الْأَخيرِ.

٢ أَنا سَنَدٌ، أَنا أُرْدُنِيٌّ، نَعَمْ أَنا مِنَ الأُرْدُنِّ. سَأُحَدِّثُكُم الْيَوْمَ عَنْ أَصْدِقائِي: لي أَصْدِقاءُ كُثُرٌ، أُحِبُّهُم وَيُحِبونَني: جَمالٌ مِنْ مِصْرَ، هُوَ مِصْرِيّ. فادي مِنْ لُبْنان، هُوَ لُبْنانيّ. عُثْمانُ مِنَ السّودانِ، هُوَ سودانِيٌّ.

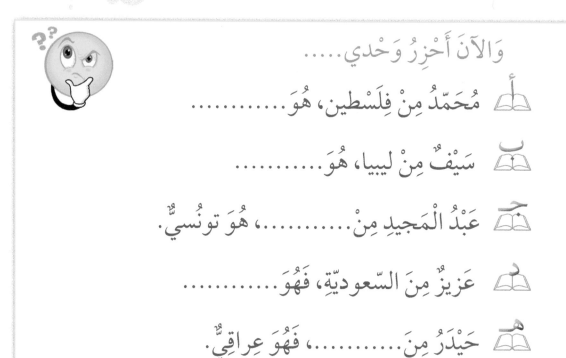

وَالآنَ أَحْزِرُ وَحْدي.....

أ- مُحَمّدُ مِنْ فِلَسْطين، هُوَ............

ب- سَيْفُ مِنْ ليبيا، هُوَ..........

جـ- عَبْدُ الْمَجيدِ مِنْ..........، هُوَ تونُسِيٌّ.

د- عَزيزٌ مِنَ السّعوديّةِ، فَهُوَ............

هـ- حَيْدَرُ مِنَ..........، فَهُوَ عِراقِيٌّ.

لَقَدْ تَعَرَّفْتُ عَلى هَؤلاءِ جَميعًا في مُلْتَقى صِغارِ الْعَرَبِ.

٣ أَقومُ بِإِدْخالِ(كانَ)عَلى الْجُمْلَةِ الأولى وَ(أَصْبَحَ) عَلى الْجُمْلَةِ الثّانِيَةِ وَأَقْرَأُ الْجُمْلَةَ الْجَديدَةَ، كَما في الْمِثالِ:

أ الدَّرْسُ صَعْبٌ — وَبَعْدَ أَنْ شَرَحَتْهُ الْمُعَلِّمَةُ — الدَّرْسُ سَهْلٌ

كانَ الدَّرْسُ صَعْبًا وَبَعْدَ أَنْ شَرَحَتْهُ الْمُعَلِّمَةُ أَصْبَحَ الدَّرْسُ سَهْلًا.

ب الطَّقْسُ بارِدٌ — وَبَعْدَ أَنْ أَشْرَقَتِ الشَّمْسُ — الطَّقْسُ حارٌّ

جـ الطِّفْلُ كَسولٌ — وَبَعْدَ أَنْ الْتَزَمَ مَواعيدَ النَّومِ — الطِّفْلُ نَشيطٌ

د السِّباحَةُ مُخيفَةٌ — وَبَعْدَ أَنْ أَتْقَنْتُها — السِّباحَةُ مُمْتِعَةٌ.

---

٤ أَضَعُ الْحَرَكَةَ الْمُناسِبَةَ عَلى الْحَرْفِ الأَخيرِ لِكُلِّ كَلِمَةٍ مِنَ الْكَلِماتِ الّتي تَحْتَها خَطٌّ.

	أ	ب
	أ	ب
أ	الْقِراءَةُ مُمْتِعَة.	أَصْبَحَتِ الْقِراءَةُ مُمْتِعَة.
ب	الرِّياضَةُ مُفيدَة.	أَصْبَحَتِ الرِّياضَة مُفيدَة.
جـ	الدَّرْسُ سَهْل.	أَصْبَحَ الدَّرْس سَهْل.
د	كانَ الْقَمَر في بِدايَةِ الشَّهْرِ هِلال	وَفي مُنْتَصَفِ الشَّهْرِ أَصْبَحَ الْقَمَر بَدْر.

أُلاحِظُ: الْكَلِمَة التي تَحتَها خَط في العامود (أ) حَرَكَتُها هِيَ (ــــ)، والْكَلِمَة التي تَحْتَها خَط في العامود (ب) حَرَكَتُها هي (ــــ) والسَّبَب دُخول أَصْبَحَ عَلى الْجُمَلِ في العامودِ (ب).

٥ أَمْلأُ الْفَراغَ عَلى نَمَطِ الْمِثالِ:

تنوين الفتح

أ هَبَطَ الطَّيّارُ بِطائِرَتِهِ هُبوطًا جَميلًا.

ب نَزَلَ الْوَلَدُ الدَّرَج.............. بَطيئًا.

جـ خَرَجَ سَعيدٌ مِنَ الْبَيْتِ..............سَريعًا.

د جَلَسَ الطِّفْلُ في كُرْسِيِّهِ.............. مُهَذَّبًا.

في الإِمْلاءِ

١ أَمْلأُ على نَمَطِ الْمِثالِ:

ما أَكْبَرَ الْبَحْرَ!	ما أَبْعَدَ السَّماءَ !	ما أَجْمَلَ الزَّهْرَةَ !

وَأنا أَيْضًا أَسْتَطيعُ أَنْ أَتَعَجَّبَ مِنْ....

سُرْعَةِ الْحِصانِ: ....

مِنْ ضَخامَةِ الْفيلِ: ....

جَمالِ الطّاووسِ: ....

لا تَنْسَ

وَضعَ عَلامَةِ التَّرقيمِ (!) في نِهايَةِ كُلِّ جُمْلَةٍ مِنَ الْجُمَلِ السّابِقَةِ.

٢ أُعيدُ كِتابَةَ الْجُمْلَةِ الآتِيَةِ بِخَطٍّ مُرَتَّبٍ وَأَكْتُبُ حَرْفَ الْجَرِّ (لام) في الْفَراغِ وَأُجْري اللّازِمَ:

أَرْسَلَتْ مُديرَةُ الْمَدْرَسَةِ رِسالَةَ شُكْرٍ وَشَهادَةَ تَقْديرٍ ....(الطّالِبِ) الْمُجْتَهِدُ وَ.....(الْوَلَدِ) الْمُؤَدَّبِ وَ.... (الطِّفْلَةِ) الْمُبْدِعَةِ.

٣ أَنْظُرُ إِلى الصُّورِ الآتِيَةِ وَأُحاوِلُ مَعْرِفَةَ إِلى مَنْ تَعودُ هَذِهِ الْأَشْياءُ؟

مَعَ مُلاحَظَةِ إِجْراءِ التَّعْديلِ الْمُناسِبِ عِنْدَ مَلْءِ الْفَراغِ:

| الْمُهَنْدِسُ | الطّالِبُ | الْمُعَلِّمُ | اللّاعِبُ |

 هَذِهِ الْكُرَةُ  .... هَذِهِ الْقُبَّعَةُ ....

 هَذِهِ الْحَقيبَةُ .... هَذِهِ الْكُتُبُ ....

٤ أَكْتُبُ التّاءَ الْمُناسِبَةَ نِهايَةَ الْكَلِمَةِ مُسْتَعينًا بِأَشْكالِها الْآتِيَةِ:

١  لَعِبَتْ سَميرَ.... بِاللُّعْبَ.... الَّتي اشْتَرَتْها لَها أُمُّها.

٢ سافَرَ عَزْمي مِنْ عَمّانَ إِلى الْعَقَبَ.... بِالسَّيّارَ.......

٣ نالَتْ بَسْمَ.... جائِزَ.... الْكاتِبَ.... الصَّغيرَ....؛ لِأَنَّها كَتَبَتْ

أَجْمَلَ قِصَّ.... قَصيرَ....

الْوَطَنُ هُوَ الْمَكانُ الّذي تُحِبُّهُ وَتَنْتَمي إِلَيْهِ، مِنْهُ أَجْدادُنا، وَفيهِ بَنوا أَمْجادَنا، هُوَ تاريخُنا وَحاضِرُنا.

أَكْتُبُ عَنِ الوَطَنِ (٨٠ -١١٠ كلمات) مُجيبًا عَنِ الأَسْئِلَةِ الآتِيَةِ في كِتابَتي :

ما الْوَطَنُ بِالنِّسْبَةِ إِلَيَّ ؟

ما الْأَماكِنُ الْمُفَضَّلَةُ فيهِ ؟

ما أَكَلاتُهُ الْمَعْروفَةُ وَالشَّعْبِيَّةُ؟

كَيْفَ أَكونُ مُواطِنًا صالِحًا ؟

١ أَمْلأُ الْفَراغَ بِالْكَلِمَةِ الْمناسِبَةِ في الفقْرَةِ الآتِيَةِ :

وَعَدَ الْخطَر رَكَلَ تَحَطَّمَ نَدِمَ اعْتَذَرَ

أَرادَ هاشِمٌ أَنْ يَلْعَبَ بِكُرَتِهِ داخِلَ الْبَيْتِ، رَفَضَتْ ماما، وَلدى انْشِغالِ ماما وَانْهِماكِها في الْعَمَلِ. أَحْضَرَ هاشِمٌ الْكُرَةَ وَبَدَأَ اللَّعِبَ، .... هاشِمٌ الْكُرَةَ، فَطارَتْ وَارْتَطَمَتْ بِلَوْحِ الزُّجاجِ فـ............جاءَتْ ماما عِنْدَ سَماعِ الصَّوْتِ غاضِبَةً وَقالَتْ: اللَّعِبُ بِالْكُرَةِ داخِلَ الْبَيْتِ مَمْنوعٌ لِأَنَّهُ يُعَرِّضُكَ لِـ............، .... هاشِمٌ عَلى ما فَعَلَ وَ............ لِأُمِّهِ وَ............ أَلّا يَعودَ لِلَّعِبِ بِالْكُرَةِ داخِلَ الْبَيْتِ مَرَّةً أُخْرى.

بَعْدَ أَنْ مَلَأْتُ الْفَراغَ أُعيدُ قِراءَةَ الْفِقْرَةِ وَأَرْسُمُ الْوَصْلَ حَيْثُ يَلْزَمُ.

٢ أَضعُ حَرْفَ الْجَرِّ الْمُناسِبَ في الْفَراغِ:

عَلى   في   إِلى   مِنْ   عَنْ

- وَضَعْتُ الْكِتابَ .... الْحقيبَةِ .
- سافَرْتُ .... الْعِراقِ .
- سافَرَ أَبي .... مِصْرَ .
- سافَرْتُ مَعَ أُمِّي .... الْأُرْدُنِّ .... السَّعودِيَّةِ بِالطَّائِرَةِ .
- ذَهَبْتُ مِنَ الْبَيْتِ .... الْمَدْرَسَةِ سَيْرًا .... الأَقْدامِ .
- حدَّثَتْنا الْمُعَلِّمَةَ .... حالاتِ الْمادَةِ .

٣ أُكْمِلُ الْجُمَلَ عَلى نَمَطِ الْمِثالِ:

- هَلْ قَرَأْتَ عَنْ ابْنِ بَطّوطَةِ؟ نَعَمْ ، لَقَدْ قَرَأْتُ عَنْهُ .
- هَلْ تَعَلَّمْتَ عَنِ الْحَسَنِ الْبَّصْريّ؟ نَعَمْ، لَقَدْ تَعَلَّمْتُ ....
- هَلْ سَلَّمْتَ عَلى الْمُديرِ؟ نَعَمْ، لَقَدْ سَلَّمْتُ .... عِنْدَما رَأَيْتُهُ في الْحَفْلِ.
- هَلْ سَبَحْتَ في الْبَحْرِ ؟ نَعَمْ ، لَقَدْ سَبَحْتُ ......

٤ أَسْتَبْدِلُ الْكَلِمَةَ الْمُلَوَّنَةَ بِضَميرٍ مُتَّصِلٍ، مُناسِبٍ كَما في الْمِثالِ :

صَعِدَ خالِدٌ عَلى الشَّجَرَةِ.	صَعِدَ خالِدٌ عَلَيْها.
قَفَزَ القِطُّ عَنِ السّورِ.	----------------------
ذَهَبَ أَبي إِلى السّوقِ.	----------------------
صَعِدَ جادٌ عَلى السُّلَمِ.	----------------------
ذَهَبَتْ نادِيَةُ إِلى الْمَدْرَسَةِ.	----------------------
قَرَأَ رامي مَعْلوماتٍ مِنَ الْموسوعَةِ.	----------------------

٥ أُكْمِلُ كَما في النَّمَطِ :

أ	دَرَسَ		..ادْرُسْ..........
ب	شَرِبَ		....
جـ	فَتَحَ		....
د	كَتَبَ		....

٦ غَالِبٌ طِفْلٌ مُؤَدَّبٌ مُجْتَهِدٌ، ذَهَبَ إِلَى سَرِيرِهِ مُبَكِّرًا، وَاسْتَيْقَظَ مِنَ النَّوْمِ نَشِيطًا،

غَسَلَ وَجْهَهُ وَنَظَّفَ أَسْنَانَهُ، وَارْتَدَى مَلَابِسَهُ، وَشَرِبَ حَلِيبَهُ، وَحَمَلَ حَقِيبَتَهُ وَذَهَبَ

إِلَى الْمَدْرَسَةِ. أَنَا قَرَّرْتُ أَنْ أَكُونَ مِثْلَ غَالِبٍ مُؤَدَّبًا وَمُجْتَهِدًا؛ لِذا

أَنَا ..أَذْهَبُ.. إِلَى سَرِيرِي مُبَكِّرًا، وَ..أَسْتَيْقِظُ.. مِنَ النَّوْمِ نَشِيطًا.

.... وَجْهِي وَ.......... أَسْنَانِي ،وَ.......... مَلَابِسِي وَحْدِي.

وَ.......... الْحَلِيبَ. وَ.......... حَقِيبَتِي. ثُمَّ ....إِلَى الْمَدْرَسَةِ.

وَأَنْتَ أَيْضًا إِذَا أَرَدْتَ أَنْ تَكُونَ مِثْلِي وَمِثْلَ غَالِبٍ، سَأَقُولُ لَكَ مَاذَا عَلَيْكَ أَنْ تَفْعَلَ؟

..اذْهَبْ.. إِلَى سَرِيرِكَ مُبَكِّرًا، وَ..اسْتَيْقِظْ.. مِنَ النَّوْمِ نَشِيطًا.

.... وَجْهَكَ وَ.......... أَسْنَانَكَ، وَارْتَدِ مَلَابِسَكَ وَحْدَكَ. وَ..........

حَلِيبَكَ. وَ.......... حَقِيبَتَكَ. ثُمَّ ....إِلَى الْمَدْرَسَةِ.

٧ عِنْدَما زار زَيْدٌ جَدَّهُ سَأَلَهُ جَدُّهُ وَهُوَ أَجابَهُ، أَقْرَأُ وَأَمْلأُ الْفَراغَ بِما أَراهُ مُناسِبًا:

قالَ زَيْدٌ: وَصَلْنا مِنَ السَّفَرِ وَذَهَبْتُ وَأَبي لِزِيارَةِ جَدّي .

سَأَلَني جَدّي: مَتى وَصَلْتُم مِنَ السَّفَرِ؟

قُلْتُ: وَصَلْنا مِنَ السَّفَرِ يَوْمَ.........................

سَأَلَ جَدّي: ....؟

قُلْتُ: تَبْدَأُ الامْتِحاناتُ في نِهايَةِ شَهْرِ كانونَ الثّاني .

سَأَلَ جَدّي: ....؟

قُلْتُ: تَبْدَأُ عُطْلَةُ الشِّتاءِ في مُنْتَصَفِ كانونَ الثّاني .

سَأَلَ جَدّي: وَمَتى تَكونُ عُطْلَتُكُم الأُسْبوعِيَّةُ ؟

قُلْتُ: تَكونُ عُطْلَتُنا الأُسْبوعِيَّةُ كُلَّ يَوْمِ ....

٨ أَصوغُ سُؤالًا مُسْتَخْدِمًا(مَتى)؟

📖 تَتَفَتَّحُ الأَزْهارُ في الرَّبيعِ.

📖 ....

📖 يَحْصُدُ الْفَلَّاحُ الثِّمارَ في الصَّيفِ.

📖 ....

📖 تَسْقُطُ أَوْراقُ الشَّجَرِ في الْخَريفِ.

📖 ....

٩ أُكْمِلُ الْفَراغَ كما في الْمِثالِ:

يَكْتُبُ	يَنامُ	يَلْعَبُ
يَكْتُبونَ	---------	---------

١٠ مِنْ آدابِ الطَّريقِ

تَسيرَ
تُحافِظَ
تَعْبُرَ

طَلَبَ فادي مِنْ أُمِّهِ أَنْ يَذْهَبَ لِيَشْتَرِيَ بَعْضَ الْحَلْوى

قالَتْ ماما: لا بَأْسَ وَلَكِنْ ....هَلْ تَعْلَمُ شَيْئًا عَنْ آدابِ الطَّريقِ ؟

عَلَيْكَ أَنْ .... عَلى الرَّصيفِ .

عَلَيْكَ أَنْ .... عَلى نَظافَةِ الطَّريقِ.

عَلَيْكَ أَنْ .... الشّارِعَ مِنْ مَمَرِّ الْمُشاةِ .

قالَ فادي: لا تَخافي يا أُمّي!

أَنا لَنْ .... عَلى الشّارِعِ.

لَنْ .... الشّارِعَ إِلّا مِنْ مَمَرِّ الْمُشاةِ .

لَنْ .... الأَوْساخَ في الطَّريقِ .

وَلَنْ .... الْكُرَةَ أَبَدًا مَعَ رِفاقي في الطَّريقِ لِأَنَّ الطَّريقَ لَيْسَ مَكانًا لِلَّعِبِ .

ابْتَسَمَتْ ماما وَقالَتْ: أَحْسَنْتَ يا فادي. اذْهَبْ وَكُنْ حَذِرًا!

مُلاحَظَةٌ

أَنْتَبِهُ إِلى الْحَرَكَةِ عَلى نِهايَةِ الْفِعْلِ الَّذي سَوْفَ أَكْتُبُهُ في الْفَراغِ.

١١ عُطْلَةُ الصَّيْفِ طَوِيلَةٌ .... كَيْفَ يَقْضِيها الْأَطْفالُ؟ لَقَدْ تَمَّ الْتِقاطُ صُوَرٍ، أُعَبِّرُ عَنْ كُلِّ صورَةٍ مِنَ الصُّوَرِ بِفِعْلٍ يَنْتَهي بِـ(و،ن) كَما في الْمِثالِ:

الْأَطْفالُ يَقْرؤونَ الْقَصَصَ

في الإمْلاءِ

ا ى

١ أَمْلأُ الفَراغَ بِالْأَلِفِ اللَّيِّنَةِ (ا) أَوْ (ى) الْمُناسِبَةِ لِـلِأَفْعالِ في الْجُمَلِ الْآتِيَةِ ثُمَّ أَقْرأُ :

أ بَكَـ.......... الطِّفْلُ شَوْقًا لِأُمِّهِ .

ب سَمـ........ الرَّجلُ بِأَخْلاقِهِ .

جـ دَعـــ....... الْمُؤْمِنُ رَبَّهُ .

د سَعـــ.......... أَهْلُ الخَيْرِ بَيْنَ النّاسِ .

وا

٢ أَقْرأُ وَأَمْلأُ الْفَراغَ مُسْتَخْدِمًا واو الْجَماعَةِ وَأَلِف التَّفريقِ (وا) وَمُساعِدًا سَلْمى في الْإِجابَةِ عَلى سُؤالِ أُمِّها :

ذَهَبَتْ أُمُّ سَلْمى لِزِيارَةِ صَديقَتِها في الْمُسْتَشْفى وَعِنْدَ عَوْدَتِها، سَأَلَتْ سَلْمى: ماذا فَعَلَ إِخْوَتُكَ باسِلٌ وَعادِلٌ وَحازِمٌ أَثْناءَ غِيابي ؟

(وَصَلَ) .... مِنَ الْمَدْرَسَةِ، وَ(نَزَعَ) .... مَلابِسَ الْمَدْرَسَةِ، وَ(غَسَلَ) .... أَيْدِيَهُمْ، وَ(تناوَلَ) .... وَجْبَةَ الْغَداءِ، وَ(ارْتاحَ) .... قَليلًا، وَ(حَلَّ) .... واجِباتِهِم، وَ(راجَعَ) .... دُروسَهُم، وَ(لَعِبَ) .... في الْحَديقَةِ، وَ(شاهَدَ) .... التِّلْفازَ.

في التَّعْبيرِ:

أَكْتُبُ رِسالَةً إِلى صَديقي خارِجَ الأُرْدُنِّ أَدْعوهُ مِنْ خِلالِها إِلى زِيارَةِ الأُرْدُنِّ ذاكِرًا أَهَمَّ الْمَناطِقِ السِّياحِيَّةِ فيها.

بِسْمِ اللّٰهِ الرَّحْمٰنِ الرَّحيمِ

عَمّان – الأُرْدُن

/ / ٢٠

صَديقي / صَديقتي..........

تَحِيَّةٌ طَيِّبَةٌ وَ بَعْدُ

التّوقيع:

المُرْسِلُ:

الْمُراجَعَةُ الإِمْلائِيَّة الثانية

١ أُكْمِلُ الْكَلِماتِ بِكِتابَةِ حَرفِ الْأَلِفِ بِشَكْلِهِ الْمُناسِبِ:

أ أَعْطـ... سَميرٌ صَديقَهُ قَلَمًا.

ب سَقـ.. الْفَلّاحُ الزَّرْعَ واعْتَنـ.. بِهِ، فَنَمـ.. وَأَصْبَحَ مُثْمِرًا .

ج دَعـ.. أَبي عَمّي عَلـ.. الْغَد..ء.

د مَحـ.. الط..لبُ اللَّوْح.

٢ أَضَعُ الْوَصْلَ حَيْثُ يَلْزَمُ في السُّؤال السّابق:

٣ أَكْتُبُ الشَّكْلَ الصَّحيحَ لِلتّاءِ في أَواخِرِ الْكَلِماتِ الْمُلَوَّنَة:

اشْتَرَتْ أُمي ساعَـ... جَميلَـ... لِأُختي الصَّغير... هَدِيّـ... لَها لِأَنَّها مُطيعَـ... .

سَأَلَـ.. الْمُعَلمَةُ : هَلْ تَعْلَمُ أَنَّ الشجَرَةَ صَديقَـ... الْبيئَـ...؟

في يَوْمِ الشَّجَرَ... ، ذَهَبْـ... مَعَ طُلّابِ الْمَدْرَسَـ.. لِنَحْتَفِلَ بِهذا الْيَوْمِ، وَقامَ كُلٌّ مِنا بِغَرْسِ شَجَرَ... .

٤ أَضَعُ الشَّدَّةَ (ّ) في الْكَلِماتِ الّتي تَحْتَها خطٌ في الْفِقْرَةِ السّابِقَة:

٥ أَضَعُ (ا) التَّفْريقِ بَعْدَ (الْواوِ) في الْأَفْعالِ حَيْثُ يَلْزَمُ في الْجُمَلِ الْآتِيَةِ:

يَسْمو الْإِنْسانُ بِأَخْلاقِهِ.

أَرْجو مِنْكَ التّحَلّي بِالْأَخْلاقِ الْحَسَنَةِ.

اللّاعِبونَ انْطَلَقو في الْمَلْعَبِ بِنَشاطٍ.

الْجُمْهورُ صَفَّقو بِقُوَّةٍ لِلْفَريقِ الْفائِزِ.

٦ أَصِلُ كُلَّ كَلِمَةٍ مِنَ الصَّفِّ الْأَوَّلِ مَعَ الْجَمْعِ الْمُناسِبِ لَها مِنَ الصَّفِّ الثّاني كَما في الْمِثالِ:

كَأْسٌ	فَأْسٌ	رَأْسٌ	شَأْن
فُؤوسٌ	كُؤوسٌ	شُؤونٌ	رُؤوسٌ

ؤ

في اللُّغَةِ: الدَّرْسُ السّابِعُ

١ أُحَوِّلُ الْجُمَلَ الْآتِيَةَ مِنْ صيغَةِ الْمُذَكَّرِ إِلى صيغَةِ الْمُؤَنَّثِ، مُنْتَبِهًا لِلْكَلِماتِ الّتي تَحْتَها خَطٌّ كَما في الْمِثالِ:

الْمُذَكَّرِ	الْمُؤَنَثِ
أَنْهى الطّالِبُ كِتابَةَ الدَّرْسِ	أَنْهتْ الطّالِبَةُ كِتابَةَ الدَّرْسِ
يَفْرَحُ الْأَبُ بِنَجاحِ ابْنِهِ	--------------------
هذا الْوَلَدُ قَصيرٌ	--------------------
رَأَيْتُ فَتىً يُمارِسُ الرِّياضَةَ .	--------------------
هذا الرَّجُلُ يَلْعَبُ مَعَ أَوْلادِهِ.	--------------------

٢ أَقْرَأُ الْفِقْرَةَ الْآتِيَةَ،وَأَسْتَبْدِلُ مُذَكَّرَ الْحَيَواناتِ الْمَذْكورَةِ فيها إِلى مُؤَنَّثِها وَأُجْري التَّغْييرَ اللّازِمَ كَما في الْمِثالِ:

في مَزْرَعَتِنا ثَوْرٌ كَبيرٌ (..بَقَرَةٌ.. .كَبيرَةٌ...)، وَحِصانٌ سَريعٌ (............ ....)، وَخَروفٌ يُحِبُّ الْعُشْبَ (........... ....)، وَديكٌ نَشيطٌ (........ ....)، قُلْتُ لِأُمّي لِماذا لا نُرَبّي أَسَدًا في مَزْرَعَتِنا(............)؟ أَجابَتْ أُمّي إِنَّ الْأَسَدَ حَيَوانٌ مُفْتَرِسٌ.

٣ أَسْتَبْدِلُ الْكَلِمَةَ الَّتي تَحْتَها خَطٌّ بِكَلِمَةٍ مِنَ الْكَلِماتِ الْمُتَشابِهَةِ لَها في الْمَعْنى، وأَكْتُبُها في الْفَراغِ :

اسْتَطاعَ اكْتِشاف هَبَطَتْ

تَعَرَّضَتِ الطّائِرَةُ لِعُطْلٍ في أَحَدِ مُحَرِّكاتِها فَنَزَلَتْ............ اضْطِرارِيًّا في مَطارِ الْمَلِكَةِ عَلْياءَ الدَّوليّ تَمامَ السّاعَةِ الرّابِعَةِ. حَيْثُ تَمَكَّنَ............ الطَّيّارُ مِنَ الْهُبوطِ بِالطّائِرَةِ والرُّكّابِ بِسَلامٍ. بَعْدَ أَنْ حاوَلَ جاهِدًا مَعْرِفَةَ............ سَبَبَ الْعُطْلِ في مُحَرِّكِ الطّائِرَةِ .

٤ أَمْلَأُ الْفَراغَ بِعَكْسِ الْكَلِمَةِ الَّتي تَحْتَها خَطٌّ وَأَقْرَأُ :

أ في الْحافِلَةِ وَقَفَتِ الشّابَّةُ وَ .... كَبيرَةُ السِّنِّ مَكانَها احْتِرامًا.

ب ما أَبْعَدَ السَّماءَ عَنّا وَما .... اللّٰهَ تَعالى إِلى كُلٍّ مِنّا ، يَرانا وَيَسْمَعُنا وَيَسْتَجيبُ دُعاءَنا .

جـ أَنا أَحْتَرِمُ الْكَبيرَ وَأَعْطِفُ عَلى ....

د تَعَطَّلَ التِّلْفازُ لِأَنَّهُ أَصْبَحَ قَديمًا فَاشْتَرى أَبي تِلْفازًا ....

٥ أَنْتَبِهُ جَيِّدًا وَأُحَوِّلُ مِنَ الْمُفْرَدِ إِلى الْجَمْعِ كَما في الْمِثالِ :

	مُسافِرٌ	مُسافِرون
أ	مُشاهِدٌ	------------
ب	مُسْتَمِعٌ	------------
جـ	مُغادِرٌ	------------
د	قادِمٌ	------------

٦ أُكْمِلُ كَما في الْمِثالِ:

الْفَعْلُ الْماضي	الفعل بعد إضافة الألف	الْفَعْلُ الْماضي	الفعل بعد إضافة الألف
وَصَلَ	واصِل	نامَ	---------
فَرِغَ	---------	---------	قائل
---------	سامِع	سَأَلَ	---------

٧ | أَمْلَأُ الْفَرَاغَ بِكَلِمَةٍ مُنَاسِبَةٍ مُسْتَعِينًا بِالْكَلِمَاتِ مَا بَيْنَ الْأَقْوَاسِ كَمَا في الْمِثَالِ:

أ
📖 إِبْرَاهِيمُ طُوقان ...شَاعِرٌ... فِلَسْطِينِيٌّ مَعْرُوفٌ . (يَكْتُبُ الشِّعْرَ)

ب
📖 مَحْمُود دَرْويش .... فِلَسْطِينِيٌّ مَشْهُورٌ. (كَتَبَ)

ج
📖 صَلاحُ الدِّينِ .... عَرَبِيٌّ شُجَاعٌ .(قَادَ)

د
📖 ابْنُ النَّفيسِ .... مِنْ عُلَمَاءِ الْعَرَبِ .(عَلِمَ)

هـ
📖 أَبِي .... مِنَ السَّفَرِ يَوْمَ الْخَميسِ .(قَدِمَ)

لا تَنْسَ

إِضافَةَ الْحَرْفِ أَلِف بَعْدَ الْحَرْفِ الْأَوَّلِ ، وَوَضْعَ كَسْرَةٍ عَلَى الْحَرْفِ مَا قَبْلَ الْأَخِيرِ .

في الإمْلاءِ

ؤ

١ أَكْتُبُ (ؤ) وَأَقْرأُ:

أ فُـ...ادٌ طالِبٌ مُجْتَهِدٌ وَمُـ...دَّبٌ .

ب يَقومُ لِلصَّلاةِ كُلَّما سَمِعَ الْمُـ...ذِّنَ يُـ...ذِّنُ .

جـ دَرَسَ مُـ...مِنُ في جامِعَةِ مُـ...تَةَ .

٢ مِنَ السَّهْلِ أَنْ أَقولَ

هُوَ الآنَ يَكْتُبُ	في الْأَمْسِ هُوَ كَتَبَ
هُوَ يَلْعَبُ	هُوَ لَعِبَ
هُوَ يَرْسُمُ	هُوَ-------
وَلَكِنْ ماذا لَوْ قُلْتُ ؟!	
هُوَ يَسْمو	هُوَ سَما

٣ أُكْمِلُ الْجَدْوَلَ كَما في الْمِثالِ:

الْفِعْلُ الْمُضارِعُ	الْفِعْلُ الْماضي	الْفِعْلُ الْمُضارِعُ	الْفِعْلُ الْماضي
يَمْحو	---مَحا---	يَسْقي	---سَقى---
يَنْمو	----------	يَبْني	----------
يَسْمو	----------	يَرْمي	----------
يَصْحو	----------	يَهْدي	----------

٤ أَمْلَأُ الْفَرَاغَ بِالْكَلِمَةِ الْمُناسِبَةِ مِنَ الْجَدْوَلِ عَلَى أَنْ أَخْتارَها مِنَ الْفِعْلِ الْماضِي فِي الْجَدْوَلِ السّابِقِ :

أ- .... اللّاعِبُ الرُّمْحَ بَعيدًا مُسَجِّلًا رَقَمًا قِياسِيًّا جَديدًا.

ب- .... الْفَلّاحُ الزَّرْعَ، حَتى .... وَأَصْبَحَ أَخْضَرَ.

جـ- .... الْمُهَنْدِسُ بَيْتًا جَميلًا.

أُسْلوبُ التَّعَجُّبِ

أَتَذَكَّرُ :

تُوضَعُ فِي نِهايَةِ الْجُمْلَةِ الْمُثيرَةِ لِلدَّهْشَةِ مِنْ شَيْءٍ ما. .

مثل : - ما أَجْمَلَ الطَّبيعَةَ!

٥ أَضَعُ عَلامَةَ التَّعَجُّبِ فِي مَكانِها الْمُناسِبِ فِي الْجُمَلِ الآتِيَةِ :

ذَهَبَ عَلِيٌّ إِلَى حَديقَةِ الْحَيَواناتِ وَتَعَجَّبَ مِنْها قائِلًا: ما أَطْوَلَ الزَّرافَة ...

وَما أَجْمَلَ الطّاووس... وَ ما أَقْوى الأَسَد... وَما أَسْرَعَ الْغَزال...

في التَّعْبيرِ:

أَكْتُبُ حِوارًا بَيْنَ عُصْفورٍ وَشَجَرَةٍ في بِداياتِ فَصْلِ الرَّبيعِ، يَطْلُبُ فيها العُصْفورُ مِنَ الشَّجَرَةِ بِناءَ عُشٍّ لَهُ عَلى غُصْنٍ مِنْ أَغْصانِها ذاكِرًا لَها السَّبَبَ.

في اللُّغَةِ:

١ على ياسَمينَةَ أَنْ تَمْلأَ الْفَراغاتِ في رِسالَةٍ كَتَبَتْها، تَبْحَث عَنِ السِّنْدِبادِ. أُساعِدُ ياسَمينَةَ في اخْتِيارِ كَلِمَةٍ مُقارِبَةٍ في الْمَعْنى لِكُلِّ كَلِمَةٍ مِنَ الْكَلِماتِ الَّتي تَحْتَها خَطٌّ:

الْأَكْثَرُ سُمْعَةً – الْأَخْطارُ – الْانْتِظارَ – عاداتِ – الْأَقْطارَ

السَّلامُ عَلَيْكُم .....

أَنا ياسَمينَةُ، سَوْفَ أُخْبِرُكُم عَنْ صَديقٍ لي، اسْمُهُ سِنْدِباد، هَلْ تَعْرِفونَهُ ؟؟

سِنْدِبادُ الشَّخْصِيَّةُ الْأَوْسَعُ شُهْرَةً وَ.........،

أَحَبَّ سندبادُ الأَسْفارَ، وَ رَحلاتٍ قُمْنا بِها أَنا وَهُوَ وَمَعَنا علي بابا وَعَلاء الدِّينِ تَحْمِلُ أَحْلى الأَخْبارِ،

جابَ وَتَنَقَّلَ في الأَرْجاءِ وَزارَ الْبُلْدانَ و.........

تَعَرَّضَ لِلْمَهالِكِ وَواجَهَتْهُ .... تَعَرَّفَ عَلى الْأَعْمالِ الْغَريبَةِ وَعَلى ....الشُّعوبِ الْغَريبَةِ، لَقَدْ كُنْتُ دائِمًا مَعَهُ، لَقَدْ ضَلَلْنا الطَّريقَ. وَأَنا سَأَبْقى أَنْتَظِرُهُ وَلَنْ أَمَلَّ ....

وَرَدَ في

نَصِّ رِسالَةِ ياسَمينَة كَلِمَتانِ كُتِبَتا بِاللَّوْنِ الأَحْمَرِ :

أَسْفارُ: تَدُلُّ على جَمْعِ كَلِمَةِ سَفَرٍ.

أَخْبارُ: تَدُلُّ عَلى جَمْعِ كَلِمَةِ خَبَرٍ.

٢ أَجْمَعُ الْكَلِماتِ الْآتِيَةَ :

	الْمُفْرَدُ	الْجَمْعُ
أ	خَطَرٌ	------------
ب	قُطْرٌ	------------
جـ	مَطَرٌ	------------
د	نَهْرٌ	------------

وَرَدَ في

نَصِّ رِسالَةِ ياسَمينَة كَلِمَتانِ كُتِبَتا بِاللَّوْنِ الأَخْضَرِ :

رِحْلاتٌ: تَدُلُّ عَلى جَمْعِ كَلِمَةِ رِحْلَةٌ.

عاداتٌ: تَدُلُّ عَلى جَمْعِ كَلِمَةِ عادَةٌ.

٣ أَمْلَأُ الْفَراغَ في الْجَدْوَلِ بِما هُوَ مُناسِبٌ :

	الْمُفْرَدُ	الْجَمْعُ
أ	مُعَلِّمَةٌ	------------
ب	------------	مُهَنْدِساتٌ
جـ	جَميلَةٌ	------------
د	------------	طَبيباتٌ

الْكَلِماتُ

مُعَلِّماتٌ	مُهَنْدِساتٌ	جَميلاتٌ	طَبيباتٌ

جَميعُها كَلِماتٌ تَنْتَهي بـ (ات) وَتَدُلُّ على الْجَمْعِ .وَالْجَمْعُ هُنا أُضيفَ لَهُ أَلِفٌ وَتاءٌ وَهُوَ يَدُلُّ عَلى مَجْموعَةٍ مِنَ النِّساء.

٤ أَقْرَأُ ، أَتَعَلَّمُ ثُمَّ أُنفِذُّ الْمَطْلوبَ :

أَضَعُ خَطًّا تَحتَ الكلماتِ الّتي تَدُلُّ على جَمْعٍ :

هَلْ تَعْلَمُ ؟؟؟ التَّجَشُّؤُ على الْمائِدَةِ مِنَ الْعاداتِ غَيرِ الْمَحْمودَةِ ، وَلَكِنَّهُ عِنْدَ بَعْضِ الشُّعوبِ مَطْلوبٌ لِأَنَّ التَّجَشُّؤَ هُنا يَعْني: أَنَّ ما تَذَوَّقْتَهُ مِنْ أَطْيَبِ الأَكَلاتِ .

هَلْ تَعْلَمُ ؟؟؟ تُمْنَعُ عَنِ الْمَريضِ الزِّياراتُ بَعْدَ السّاعَةِ السّابِعَةِ، حَتى يَسْتَطيعَ أَنْ يَنْعَمَ بِقِسْطٍ مِنَ الرّاحَةِ .

هَلْ تَعْلَمُ ؟؟؟ أَنَّ غاباتِ الأَمازونِ تُعْتَبَرُ مِنْ أَكْبَرِ وَأَجْمَلِ وَأَخْطَرِ الْغاباتِ في الْعالَمِ.

هَلْ تَعْلَمُ ؟؟؟ بَدَأَتْ رِحلاتُ الإِنْسانِ إِلى الْفَضاءِ لِيَكْتَشِفَ ما فيهِ مُنْذُ مُنْتَصَفِ الْقَرْنِ الْعِشْرينَ.

بَعْدَ أَنْ قَرَأْتُ ما سَبَقَ أَسْتَخْرِجُ مِنَ الْجُمَلِ الْكَلِماتِ الّتي تَدُلُّ على الْجَمْعِ :

---------	---------	---------
---------	---------	---------

٥ أُعيدُ كِتابَةَ الْجُمْلَةِ مَعْ إِجْراءِ التّعْديلِ الْمَطْلوبِ ، كَما في الْمِثالِ :-

ذَهَبَ الطّالِبُ إلى الْمَدْرَسَةِ .

يَذْهَبُ الطّالِبُ إلى الْمَدْرَسَةِ .

دَرَسَ الطّالِبُ الدَّرْسَ .

قَرَأَتْ أُخْتي قِصَةً .

تناوَلْتُ طَعامَ الْغَداءِ.

----

٦ دارَ بَيْنَ سامِرٍ وَأُخْتِهِ سَحَر حَديثٌ طَريفٌ، أَقْرَأُ وَأَمْلَأُ الْفراغَ وَأُلاحِظُ الْأَفْعالَ:

قالَ سامِرٌ : أَبي قُدْوَتي .قالَتْ سَحَر: كَيْف ؟

قالَ سامِرٌ: تَناوَلَ أَبي الطَّعامَ. وَأَنا أَيْضًا تَناوَلْتُ الطَّعامَ.

شَرِبَ أَبي الْماءَ. وَأَنا أَيْضًا شَرِبْتُ الْماءَ.

غَسَلَ أَبي يَدَيْهِ. وَأَنا أَيْضًا .... يَدَي.

قَرَأَ أَبي الْجَريدَةَ وَأَنا أَيْضًا......... الْجَريدَةَ.

شاهَدَ أَبي الْأَخْبارَ وَأَنا أَيْضًا ....

وَعِنْدَما قادَ أَبي السَّيّارَةَ، جَلَسْتُ بِجانِبِهِ؛ فَأَنا لا أَعْرِفُ الْقِيادَةَ !!

٧ أُكْمِلُ الْجُمَلَ الآتِيَةَ بِاسْتِخدامِ الْكَلِمَةِ الْمُناسِبَةِ :

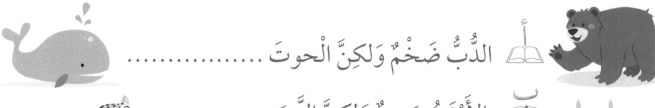

أ الدُّبُّ ضَخْمٌ وَلكِنَّ الْحوتَ ....

ب الأَرْنَبُ سَريعٌ وَلكِنَّ النَّمِرَ ....

أُكَوِّنُ جُمْلَةً مُسْتَعينًا بِالنَّمَطِ السّابِقِ وَبِالصُّوَرِ .

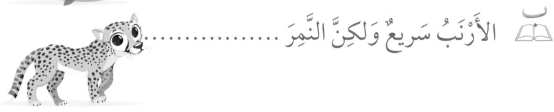

----

٨ أُكْمِلُ الْجُمَلَ الآتِيَةَ :

أ سافَرْتُ إِلى بُلْدانٍ جَميلَةٍ وَلكِنَّ بَلَدي الأُرْدُنَّ ....

ب شاهَدْتُ فيها الطَّبيعَةَ الْحُلْوَةَ وَلكِنَّ الطَّبيعَةَ في بَلَدي ....

جـ تَعَرَّفْتُ فيها إِلى أُناسٍ طَيّبينَ وَلكِنَّ أَهْلَ بَلَدي ....

د أَكَلْتُ فيها أَكَلاتٍ لَذيذَةً إِلّا أَنَّ أَكلَ أُمّي ....

هـ قَضَيْتُ فيها أَوْقاتٍ رائِعَةً، وَلكِنَّ قَضاءَ الْوَقْتِ مَعَ أَصْدِقائي ....

٩ أَمْلَأُ الْفَراغَ عَلى نَمَطِ الْمِثالِ :

جَلَسَ	جَلَسَتْ
كَتَبَ	------------
دَرَسَ	------------
سَمِعَ	------------

١٠ أُكْمِلُ الْقِصَّةَ الآتِيَةَ، كَما في الْمِثالِ :

تُحِبُّ سَلْوى أَخاها الْأَكْبَرَ سَليمًا كَثيرًا، وَتُقَلِّدُ كُلَّ تَصَرُّفاتِهِ، ذَهَبَ سَليمٌ وَسَلْوى إِلى بَيْتِ عَمِّهِما، طَرَقَ سَليمٌ الْبابَ وَكَذلِكَ طَرَقَتْ سَلْوى الْبابَ، سَلَّمَ سَليمٌ عَلى عَمِّهِ، وَ. .... سَلْوى عَلى عَمِّها، جَلَسَ سَليمٌ وَ........... سَلْوى. شَرِبَ سَليمٌ الْعَصيرَ، وَ.......... سَلْوى الْعَصيرَ. تَحَدَّثَ سَليمٌ إِلى عَمِّهِ، وَ.......... سَلْوى إِلى عَمِّها. شَكَرَ سَليمٌ عَمَّهُ وَاسْتَأْذَنَ بِالانْصِرافِ، وَلَكِنَّ سَلْوى بَكَتْ لِأَنَّها تُحِبُّ أَنْ تَبْقى عِنْدَ عَمِّها وَلا تُريدُ الانْصِرافَ.

في الْإِمْلاءِ

١ أَضَعُ (ء) في مَكانِها ثُمَّ أَقْرَأُ:

أنا أُحِبُّ الْقِرا..ةَ. قَرَأْتُ في أَحَدِ الْكُتُبِ، عَنِ الْعَرَبِيِّ: يَتَّصِفُ بِالْمُرو..ةِ وَالْجُرْ..ةِ وَالشَّجاعَةِ، لا يَحْقِدُ، يَغْفِرُ، وَلكِنَّهُ لا يَنْسى الإِسا..ةَ، يُقَدِّرُ الصَّداقَةَ، وَفِيٌّ يُحِبُّ أَصْدِقا..هُ، فيهِ مِنَ النَّقاءِ وَالرُّجولَةِ وَالْبَرا..ةِ والْفَراسَةِ، لِباسُهُ الرَّسْميُّ يُسْمى الْعَبا..ةُ، أَحِبُّ الْعُرْبَ وَالْوَطَنَ الْعَرَبِيَّ، أَحِبُّ أَرْضَهُ وَسَما..ه .

٢ أَضَعُ (ا) أَوْ (ـا) أَوْ (ى) في نِهايَةِ الْأَفْعالِ الْآتِيَةِ :

- رَعـــ.... الْفَلّاح الْأَغْنامَ .
- جَر... اللّاعِبُ في الْمَلْعَبِ .
- سَمـ.... الرَّجُلُ بِأَخْلاقِهِ .
- بَد... الْهِلالُ واضِحًا في مُنْتَصَفِ السَّماءِ.

في التَّعْبيرِ

١ أَكْتُبُ وَصْفًا لِرِحْلَةٍ قُمْتُ بِها مَعْ طُلّابِ الصَّفِّ مُسْتَخْدِمًا الْكَلِماتِ الآتِيَةَ خِلالَ وَصْفي لِلرِّحْلَةِ :

قَريب   مُمْتِع   صافِيَة   مُشَوِّقَة   جَميل   مُشْرِقَة

طَويل

الْخَضْراء

الْمُراجَعَةُ الإِملائِيَّةُ النِّهائِيَّةُ

١ أَضَعُ التَّنْوينَ عَلى الْكَلِماتِ الْآتِيَةِ:

الْكَلِمَةِ	تَنْوينَ الْفَتْحِ	تَنْوينَ الضَّمِّ	تَنْوينَ الْكَسْرِ
كَلْب	--------	--------	--------
عابِسَة	--------	--------	--------
قَفَص	--------	--------	--------
مَكْتَبَة	--------	--------	--------
قَضاء	--------	--------	--------
لَحْنٌ	--------	--------	--------
دُعاء	--------	--------	--------

٢ أُضيفُ تَنْوينَ الْفَتْحِ عَلى أَواخِرِ الْكَلِماتِ الْمُلَوَّنَةِ :

■ قَرَأْتُ جُزْء مِنَ الْقِصَّةِ.	■ كانَتْ السَّماءُ مُمْطِرَة.
■ رَأَيْتُ عُصْفور سَجين في الْقَفَصِ.	■ ذَهَبْتُ مَساء إِلى بَيْتِ جَدّي.
■ شاهَدَ أُسامَةُ وَلَد فَقير في الشّارِعِ فَساعَدَهُ.	

٣ أَقْرَأُ النَّصَ الْآتي ثُمَّ أُجيبُ عَنْ السُّؤالِ الَّذي يَليهِ:

ما زِلْتُ أَذْكُرُ ذلِكَ الْيَومَ الَّذي صَحا جَوُّهُ، وَخلا مِنْ كُلِّ طَيْرٍ، سِوى ذلِكَ النِّسْرُ الَّذي بدا كَأَنَّهُ نُقْطَةٌ في وَسَطِ السَّماءِ الزَّرْقاءِ. دنا مِنّي صديقي ، وَأَلْقى عَلَيَّ التَّحِيَّةَ، وَقَدْ نَما في قَلْبِهِ حُبُّ السِّباحَةِ مِنْذُ الصِّغَرِ، دَعاني إِلى الذَّهابِ إِلى الْبَحْرِ. وَما أَنْ وَصَلْنا حَتّى أَلْقى ثِيابَه جانِبًا، وَارْتَدى ثَوْبَ السِّباحَةِ. جَرى نَحوَ الْماءِ بِسُرْعَةٍ، لِأَنَّهُ وَعى جَيِّدًا، أَنَّ الْمِياهَ بارِدَةٌ، ثُمَّ مَضى يَسْبَحُ، وَلَمْ يَرْجِع إِلّا بَعْدَ أَنْ عَلا النِّداءِ وَلمّا انْقَضى النَّهارُ عُدْنا إِلى الْبَيْتِ مَسْرورينَ.

٤ أُصَنِّفُ الْكَلِماتِ الَّتي انْتَهَتْ بِالأَلِفِ الْمَدودَةِ(ا) وَ الْكَلِماتِ الَّتي انْتَهَتْ بِالأَلِفِ الْمَقْصورَةِ(ى) وَأَكْتُبُها في الْمَكانِ الْمُخَصَّصِ:

ا	ى	ا	ى
----------	----------	----------	----------
----------	----------	----------	----------
----------	----------	----------	----------

٥ أَكْتُبُ الشَّكْلَ الصَّحِيحَ لِلْهَمْزَةِ حَسَبَ الْحَرَكَةِ الْمَكْتُوبَةِ كَما في الْمِثالِ:

فَتْح	أَصْدِقاءَهُ	أَصْدِقاؤُهُ	نَقولُ أَصْدِقاءُ زَيْدٍ
ء	زُملا...هُ	زُملا...هُ	زُملاءُ أَبي
ضَمّ	-------	-------	أَضْواءُ الْمَدينَةِ
ؤ	-------	-------	أَجْزاءُ الزَّهْرَةِ
	-------	-------	أَشْياءُ كَريمٍ

٦ أَكْتُبُ الشَّكْلَ الصَّحِيحَ لِلتّاءِ في أَواخِرِ الْكَلِماتِ الْمُلَوَّنَةِ:

رَكِبْـ.... دَرّاجَتي يَوْمًا، وَانْطَلَقْـ.... أَلْعَبُ بِهـا في حَديقَـ....

الْبَيْـ.... فَجْأَ... ظَهَرَ... أَمامي هِرَّ.... مُسْرِعَـ... ضَغَطْـ... عَلى

الْمَكابِحِ فَـوْرًا، فاصطدَمْـ.... بِشَـجَرَ.... التّو.... وَ وَقَعْـ.... عَلى

الْأَرْضِ. نَهَضْـ.... وَنَفَضْـ.... ثِيابي، وَتابَعْـ.... اللَّعِبَ، بَعْدَ أَنْ جاءَ...

الْحادِثَـةُ سَليمَةٌ.

يُكْتَبُ التّاءُ مَفْتوحَةً في آخِرِ الْفِعْلِ الْماضي، إذا اتَّصَلَتْ بِهِ (تاءُ التَّأْنيثِ) أَوِ (التّاءُ) الّتي تَدُلُّ عَلَى الْفاعِلِ.

يُكْتَبُ التّاءُ مَرْبوطَةً في آخِرِ الاسْمِ الْمُفْرَدِ الْمُؤَنَّثِ. مِثْلُ:

جَميلَةٌ   حَديقَةٌ

أَخْتَارُ شَكْلَ الْهَمْزَةِ الصَّحِيحَ وَ أَكْتُبُهُ في الْفَرَاغِ:

ؤ

ء

خَضْرا.. عَبا..ةٌ قِرا..ةٌ تَسا..َلَ

تَفا..َلُ

مسا... هَنا.. صَحْرا.. سُ..الٌ

تُكْتَبُ مُنْفَصِلَةً (ءَ)

هَمْزَةٌ مَفْتوحَةٌ ما قَبْلَها أَلِفٌ ساكِنَةٌ

تُكْتَبُ مُنْفَصِلَةً (ؤُ)

هَمْزَةٌ مَضْمومَةٌ ما قَبْلَها أَلِفٌ ساكِنَةٌ

أَكْتُبُ الرَّسْمَ الصَّحِيحَ لِلْهَمْزَةِ (أ إ ا) في الْفَرَاغِ ثُمَّ أَقْرَأُ:

ء أ إ

📖 زارَ ...حْمَدُ ..لْمَكْتَبَةَ وَ ..شْتَرى كِتابًا مُفيدًا.

📖 دافَعَ الْجُنْدِيُّ عَنْ وَطَنِهِ حَتّى ..سْتُشْهِدَ.

📖 ...نْتَظَرَ خالِدٌ حَتّى جاءَ دَوْرُهُ في ..لْقِراءَةِ.

📖 سَنَصِلُ ...لى ما نُريدُ بِجِدِّنا وَ ..جْتِهادِنا.

المراجعة
العامة
سلسلة في تنمية المهارات اللغوية للمبتدئين
المستوى الثالث

الْمُراجَعَةُ العامَّةُ لِلْمَهاراتِ اللُّغَوِيَّةِ

١ أُكْمِلُ كَما في الْمِثالِ الْأَوَّلِ:

زِيارَةُ الْمَريضِ	عَلَيْنا أَنْ نَزورَ الْمَريضَ.
رُكوبُ السَّيارَةِ	أَرْغَبُ في أَنْ -----------
الصَّبْرُ على الشَّدائِدِ	عَلَيْنا أَنْ --------------
نُساعِدُ الْآخَرينَ.	عَلَيْنا أَنْ ----------

٢ أُحَوِّلُ الْجُمْلَتَيْنِ الْآتِيَتَيْنِ إِلى جُمَلٍ اسْمِيَّةٍ:

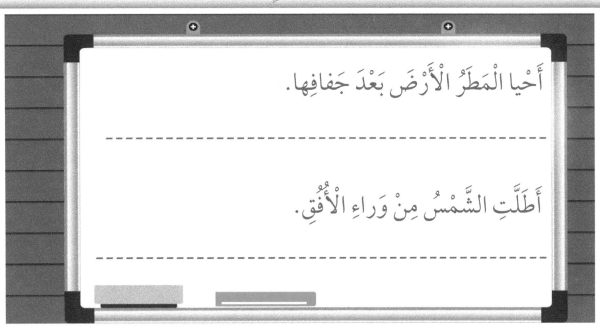

أَحْيا الْمَطَرُ الْأَرْضَ بَعْدَ جَفافِها.

أَطَلَّتِ الشَّمْسُ مِنْ وَراءِ الْأُفُقِ.

----

٣ أَقْرَأُ الْجُمْلَةَ الْآتِيَةَ ثُمَّ أُجيبُ عَنِ الْأَسْئِلَةِ الّتي تَليها:

خَرَجَ مازِنٌ مِنَ الْبَيْتِ لِيَزورَ صَديقَهُ الْمَريضَ.

- ما نَوْعُ الْجُمْلَةِ ؟ ------------
- أَكْتُبُ الْجُمْلَةَ بِأَشكالٍ أُخْرى مُبْتَدِئًا:
- مِنَ الْبَيْتِ ------------
- مازِنٌ ----------------
- أَكْتُبُ سُؤالًا لِلْجُمْلَةِ السّابِقَةِ:

- الضَّميرُ في كَلِمَةِ (صَديقِهِ) عائِدٌ على --------
- أَسْتَبْدِلُ كَلِمَةَ (الْمَريضِ) بِكَلِمَةٍ أُخْرى ثُمَّ أَكْتُبُ الْجُمْلَةَ
- ------------------------------
- أَضَعُ (عُلا) بَدَلًا مِنْ (مازِنٍ) ثُمَّ أَكْتُبُ الْجُمْلَةَ مُجْرِيًا التَّغْييرَ اللّازِمَ --------------

----

٤ أَكْتُبُ الصُّوَرَ الْمُمْكِنَةَ لِلْجُمْلَةِ الْآتِيَةِ:

أَنْقَذَ حَارِسُ الشَّاطِئِ أَخِي مِنَ الْغَرَقِ.

----

٥ أَقْرَأُ الْجُمْلَةَ الْآتِيَةَ ثُمَّ أُجِيبُ عَلَى الْأَسْئِلَةِ:

تَرْجِعُ سَلْمَى مِنْ عَمَلِها فَرِحَةً، لِمُساعَدَتِها الْفُقَراءَ وَ الْمَساكِينَ.

✎ أُقَدِّمُ (سَلْمَى) وَأُكْمِلُ الْجُمْلَةَ كَما في الْمِثالِ:

سَلْمَى تَرْجِعُ -------------------------

✎ أَكْتُبُ نَوْعَ الْجُمْلَةِ (اسميَّة أَمْ فعْليَّة) ----------

✎ أَكْتُبُ سُؤالًا لِلْجُمْلَةِ السَّابِقَةِ

✎ أَسْتَبْدِلُ (زيد) بِسَلْمَى وَأَكْتُبُ الْجُمْلَةَ مُجْرِيًا التَّغْيِيرَ اللّازِمَ:

----

٦ أُكْمِلُ الْجُمْلَةَ الْآتِيَةَ بِكِتَابَةِ الِاسْمِ الدَّالِّ عَلَى الصُّورَةِ فِي الْفَرَاغِ:

تَسْكُنُ لَيْلَى فِي ـــــــــ.

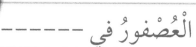

الْعُصْفُورُ فِي ـــــــــ

يَعْزِفُ فَادِي عَلَى ـــــــــ.

يُغَطِّي ـــــــــ جِسْمَ الطُّيُورِ.

٧ أَكْتُبُ الْفِعْلَ الْمُنَاسِبَ فِي الْفَرَاغِ وَأُشَكِّلُ آخِرَهُ لِأُكَوِّنَ جُمْلَةً مُفِيدَةً:

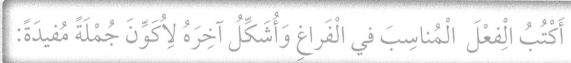

📖 الطَّبِيبُ ـــــــــ الْمَرِيضَ.

📖 ـــــــــ الْأَوْلَادُ فِي الْحَدِيقَةِ.

📖 ـــــــــ خَالِدٌ فِي الْبَحْرِ.

٨ أَكْتُبُ أَسْئِلَةً لِلْإِجَابَاتِ الْآتِيَةِ عَلَى أَنْ تَكُونَ الْإِجَابَةُ مَا تَحْتَهُ خَطٌّ:

انْتَقَلَ خَالِدٌ لِلسَّكَنِ فِي الرِّيفِ.

؟ ـــــــــــــــــــــــــــــــــــــــ

أَشْتَرِي الْقَمِيصَ بِعَشْرَةِ دَنَانِيرَ.

؟ ـــــــــــــــــــــــــــــــــــــــ

يَسْكُنُ جَدِّي فِي الرِّيفِ.

؟ ـــــــــــــــــــــــــــــــــــــــ

اشْتَرَى أَبِي لِي قَمِيصًا.

؟ ـــــــــــــــــــــــــــــــــــــــ

٩ أَكْتُبُ الْكَلِمَةَ الدَّالَّةَ عَلَى الصُّورَةِ ثُمَّ أُجِيبُ عَنِ الْأَسْئِلَةِ التَّالِيَةِ:

| ـــــــــــــــ | ـــــــــــــــ | ـــــــــــــــ | ـــــــــــــــ |

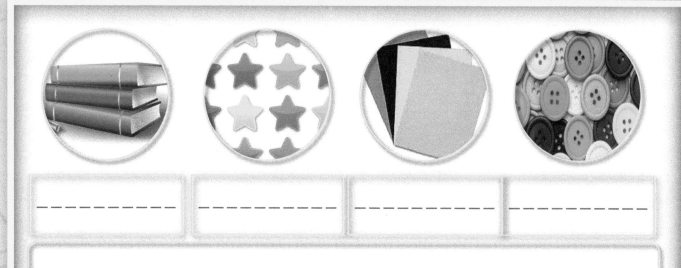

ـــــــــــ	ـــــــــــ	ـــــــــــ	ـــــــــــ

ما الشَّيءُ الْمُشْتَرَكِ بَيْنَ الْكَلِماتِ؟

ـــ

ماذا نُسَمّي ما يَدُلُّ عَلى أَكْثَرَ مِنِ اثْنَيْنِ؟

ـــ

١٠ أَختارُ حَرْفَ الْجَرِّ الْمُناسِبَ وَأَكْتُبُهُ في الْفَراغِ:

في
مِنْ
بـِ
عَنْ

- قَطَعْتُ الْخُبْزَ ...السِّكينِ.

- أَضَعُ مَلابِسي ..... الْخَزانَةِ.

- نَأْخُذُ الْأَخْشابَ ...الشَّجَرَةِ.

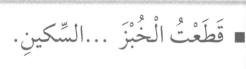

- قَرَأْتُ قِصَّةً ..... الطُّيورِ.

١١ أُكْمِلُ الْفَراغَ باخْتِيارِ الْكَلِمَةِ الْمُناسِبَةِ مِنَ الْكَلِماتِ التّي تَحْمِلُها العصافير

هِيَ - هُوَ - أَنْتِ - نَحْنُ - أَنْتَ - أَنْتُمْ - هُمْ

- .... يَرْسُمُ لَوْحَةً جميلَةً.
- ....تُنْشِدُ أُنْشودَةً جَميلَةً.
- ....تَقْفِزُ فَوْقَ الْحَبْلِ.
- ....تَصْعَدون إِلى الطّائِرَةِ.
- ....يَذْهَبونَ إِلى الصَّيْدِ.
- ....تَتَحَدَّثينَ عَنِ الْمَرْكَبَةِ الْفَضائِيَّةِ.

١٢ أُصَرِّفُ الْجُمْلَةَ الْآتِيَةَ مَعَ الضَّمائِرِ:

أَنا أَغْسِلُ وَجْهي ثُمَّ أَتَناوَلُ طَعامي

نَحْنُ------------------------------

هُوَ------------------------------

هِيَ------------------------------

أَنْتَ------------------------------

أَنْتِ------------------------------

هُمْ ------------------------------

أَنْتُمْ------------------------------

١٣ أَقْرَأُ الْفِقْرَةَ الْآتِيَةَ ثُمَّ أَمْلَأُ ما هُوَ مَطْلوبٌ في الْفَراغِ:

ذَهَبَتْ أُمي إِلى السّوقِ وَاشْتَرَتْ بَعْضَ الْأَقْمِشَةِ وَبَعْضَ الْحاجِياتِ وَاشْتَرَتْ لي وَلِأَخْوَتي الْأَلْوانَ الَّتي نُحِبُّها، نَحْنُ نُحِبُّ أُمّي كَثيرًا.

هَمْزَةُ قَطْعٍ	هَمْزَةُ وَصْلٍ	تاءٌ مَبْسوطَةٌ
----------	---------	----------
كَلِمَةٌ مُشَدَّدَةٌ	فِعْلٌ ماضٍ	فِعْلٌ مُضارِعٌ
----------	----------	----------

١٤ أَصِلُ كَما في المِثالِ ثُمَّ أَكْتُبُهُ في الْفَراغِ لِأَحْصُلَ عَلى جُمْلَةٍ مُفيدَةٍ

سَميرٌ وفادي دَرَسا لِلْامْتِحانِ بِالْأَمْسِ.		دَرَسَ
التَّلاميذُ	لِلْامْتِحانِ بِالْأَمْسِ.	دَرَسا
وَليدٌ	لِلْامْتِحانِ بِالْأَمْسِ.	دَرَسوا
سامي	الرَّجُلَ الْعَجوزَ.	ساعَدَ
الرِّجالُ	الرَّجُلَ الْعَجوزَ.	ساعَدا
فادي وَحَنانُ	الرَّجُلَ الْعَجوزَ.	ساعَدوا

دليل التعامل مع كتاب صديقي في اللغة العربية

حضرة السادة مدارسنا الصديقة المحترمين

تحية طيبة وبعد .

نودّ الإشارة إلى أن كتاب صديقي في اللغة العربية قد تم طباعة أول نسخة منه في عام ٢٠٠٩ حتى الآن، وهو حاصل على موافقة مجلس التربية ، وقد تم تعديله وفق منهاج التربية والتعليم الجديد ، وبناءً عليه ، نود أن نضع بين يديكم أفضل الطرق للتعامل مع هذا الكتاب بجانب منهاج التربية والتعليم للحصول على أقصى فائدة .

يتم تقسيم الكتاب إلى أربعة أقسام من ناحية طريقة التعامل معه وتدريسه :-

القسم الأول :

يتم تطبيق التمرينات مباشرة بمجرد انتهاء المعلمة من شرح الموضوع من كتاب التربية والانتهاء من حل التمرين في كتاب منهاج وزارة التربية والتعليم و يتم الانتقال إلى حل التمرين الموافق له في كتاب التطبيقات صديقي باللغة العربية .

القسم الثاني :

يتم إرسال تمارين للمنزل كواجب على الطالب حلّه في المنزل.

القسم الثالث :

يُترك حتى يقوم الطالب بحله أثناء الدارسة للامتحانات حتى لا تجتهد الأم في وضع تمارين لطفلها كي تتأكد من فهمه للموضوع.

القسم الرابع :

هو عن طريق عمل اختبارات قصيرة للطلاب من قبل المعلمة مباشرة بعد الانتهاء من حل الموضوع والانتهاء من حل التطبيقات عليه ، كي تتأكد من مدى فهم الطلاب للموضوع الذي تم الانتهاء من شرحه ، وأخذ تغذية راجعة سريعة ومساعدة الطلاب الأقل فهما في إعادة الشرح لهم وباقي الطلاب يعطون بعض الأنشطة في التهجئة وغيرها كي تتمكن المعلمة من إعادة الشرح لمن لم يفهوا دون أن يمل باقي الطلاب من الإعادة المتكررة ، وبذلك لا تنتظر المعلمة إلى الامتحان الشهري أو النهائي كي تتعرف على نقاط الضعف عند طلابها .

ملاحظة هامة :

يجب شرح الطريقة التي ستتبعها المدرسة في التعامل مع الكتاب لذوي الطالب أيًا كانت الطريقة ، كي يتعاون ويتشارك الجميع للاستفادة القصوى من الكتاب ، والعمل المشترك على رفع مستوى الطالب ، في القراءة والكتابة والإملاء .

ملاحظة هامة :

وفقًا لقانون المطبوعات والنشر (حقوق الملكية) لا يجوز استخدام أو تصوير أي صفحة من الكتاب وإعطائها للطلاب كورقة أو أوراق عمل .

ب

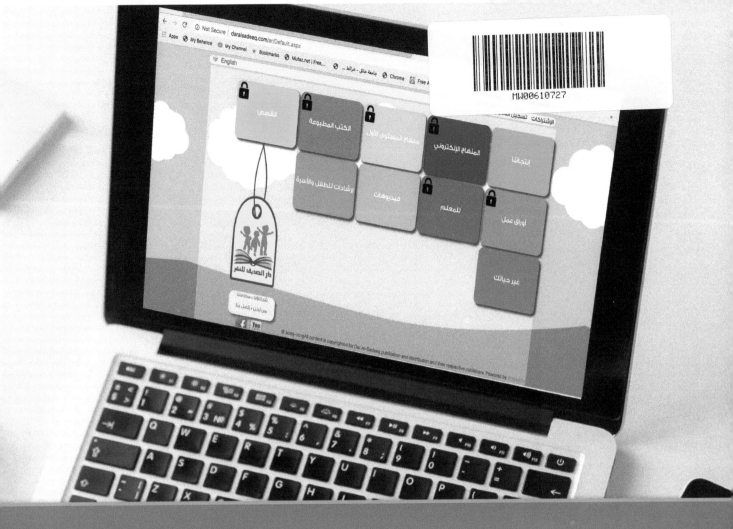

daralsadeeq.com - daralsadeq.com

يتميز موقعنا الإلكتروني التفاعلي بتوفير

- كتب تفاعلية للصف الأول - التدريبات - الإملاء - القراءة

- كتب تفاعلية للصف الثاني والثالث

- قصص للمستوى الأول: (مبتدئ - متوسط - متقدم)

- قصص من المستوى الثاني إلى الثامن

- بالإضافة إلى الكثير من الموضوعات التي تختص بالأسرة

MANAL YOUSEF

في موقعنا الإلكتروني تجد الفائدة لكل أفراد الأسرة